PENSION KAT

Pension Kat

Wilbert van der Steen

Pension Kat

moon

Kijk voor meer informatie over Pension Kat,
Lot en Heleen op www.pensionkat.com.

© 2008 Wilbert van der Steen en Moon, Amsterdam
Zetwerk ZetSpiegel, Best

www.moonuitgevers.nl
www.wilbertvandersteen.nl

ISBN 978 90 488 0059 9
NUR 282

Moon is een imprint van Dutch Media Uitgevers bv.

Inhoud

Hoi!

Mijn naam is Lot en ik baal nogal. Want mijn ouders zijn voor een lange tijd naar het buitenland en ik mocht niet mee!

Daarom moest ik een paar weken voor de zomervakantie verhuizen én naar een andere school. Van mijn ouders moet ik die gewoon afmaken, maar ik heb wel gezegd dat ik het niet leuk vind.

'We gaan niet zomaar op vakantie!' zeiden ze toen, en ik moest dus echt hier blijven.

Mijn ouders willen hun droom waarmaken, namelijk een bijzondere winkel beginnen in Groossappel, dat is de hoofdstad van Benedelux. Daar staat ook ons huis trouwens.

'Het wordt de grootste souvenirwinkel die er bestaat,' zei mijn moeder. 'Met alle souvenirs van de hele wereld. Dan hoef je zelf niet meer op reis te gaan.'

'We hebben er ook al een naam voor,' vertelde mijn vader en hij zwaaide met zijn handen als een gochelaar. 'En die is: Luilekker!'

Nu zijn ze dus op reis om al die souvenirs te verzamelen voor hun winkel en logeer ik bij Itto. Ik ken hem al lang, want hij is een goede vriend van mijn ouders. Vroeger was hij buschauffeur in Groossappel, maar hij is jaren geleden gestopt en verhuisd. Hij woont nu in Hinterhugel, een dorpje helemaal in het zuiden. Daar staat het huis dat hij geërfd heeft van zijn ouders. Het ligt tussen de hoge heuvels en de bergen, en Itto heeft er een pension van gemaakt. Het heet Pension Kat.

Hij zei: 'Dit is altijd mijn grootste droom geweest. Ik vind het zo leuk om gasten over de vloer te hebben!'

Itto's huis is grappig, met vrolijke kleuren en houten versieringen. Hij heeft een rare, gele lamp, in de vorm van een kat, op de rode brievenbus geschroefd. Bij de voordeur is een veranda en aan de zijkant een kelderluik. Maar Itto gaat liever door de keuken naar de kelder. En er is ook nog een parkeerplaatsje.

Itto verhuurt in Pension Kat drie kamers. De Koningskamer op de tweede verdieping is de grootste en heeft een eigen badkamer. Itto heeft in die kamer bijna alles goud geschilderd.

Op de eerste verdieping liggen de Landkamer en het Weeskamertje. De Landkamer is half zo groot als de Koningskamer en helemaal groen. Het Weeskamertje verhuurt Itto stiekem, want eigenlijk mag een derde kamer niet van de gemeente. Daarvoor had hij geen vergunning gekregen. Maar Itto wilde toch een kamertje voor mensen die op doorreis zijn. 'Die willen alleen maar een goed bed om in te slapen en een douche,' zei hij.

Meer slaapkamers zijn er niet in Pension Kat. Daarom slapen Itto en ik buiten. Niet echt natuurlijk, maar in de laatste bus waarin Itto heeft gereden. Die staat achter een dichte haag.

Hij heeft de bus gekocht, want anders zou die naar de schroothoop gaan. En daarna heeft hij hem omgebouwd tot kampeerbus. Van zijn eigen spaargeld.

Itto woont daarin van de lente tot en met de herfst. Ik nu dus ook. Voor mij heeft hij onderin een klein slaapkamertje gemaakt. Achter in de bus staat Itto's bed verstopt achter een houten wand. Er zit ook een minikeuken in, maar meestal kookt hij in de keuken van Pension Kat. In de winter is het pension gesloten voor gasten. Dan gaan we gewoon zelf weer in het huis wonen.

Itto en ik wonen hier trouwens niet alleen. Er lopen ook drie katten rond: Mik, Roet en Bel. Zij blijven meestal bij ons in de buurt. Mik heeft een oranje vacht, groene ogen en is nieuwsgierig. Onze Bel is heel eigenwijs en heeft blauwe ogen. En Roet, de pikzwarte poes met goudgele ogen, gedraagt zich als een echte dame.

Itto heeft al veel gasten gehad in Pension Kat. Hij vertelde over een vader met vier kinderen. De vader sliep in het Weeskamertje. Zijn twee dochters lagen in de Koningskamer, maar ze noemden die de Prinsessenkamer. De twee jongens veroverden de Landkamer en dat werd de Landroversgrot.

Ook was er een groep dames geweest die tijdens hun wandelvakantie in Hinterhugel verbleven in Pension Kat. Hun gids sliep luxe in de Koningskamer. De rest van de groep kampeerde in de wei achter Pension Kat. Itto had eigenlijk ook geen vergunning voor een camping, maar hij waagde het er voor die ene keer toch op.

'Ik ga er wel een vergunning voor aanvragen,' zei Itto blij. 'Dan krijg ik nog meer gasten!'

Het leukste vond hij de kleine groep kunstenaars. Die heb ik ook nog meegemaakt. Vijf dagen lang waren ze in de heuvels rond Hinterhugel aan het tekenen, schilderen en fotograferen. Ze hadden alle kamers en ook de keuken van het pension gehuurd. Elke avond kookten en bakten ze grote maaltijden. Het rook dan heel lekker in Pension Kat. 'Met soepstengels, sausjes en toetjes versieren we het eten als een kerstboom,' vertelde een van de kunstenaars mij.

Op hun laatste avond mochten we mee-eten. We zaten aan een lange tafel in de wei, onder de fruitbomen en de sterren. Itto kreeg een heel mooi schilderijtje van Pension Kat. Ik kreeg een foto van Mik, Roet en Bel. Die hangt nu in mijn kamertje onder in de kampeerbus, boven mijn koeienwekker.

Eigenlijk heb ik het best leuk bij Itto in Pension Kat, maar ik mis mijn ouders wel heel erg. En mijn vrienden uit Groossappel zal ik ook een lange tijd niet zien.

Op mijn nieuwe school ben ik nog maar twee weken geweest, en nu is het alweer zomervakantie. Maar ik heb wel al een nieuwe vriendin. Ze heet Heleen en zit bij mij in de klas. Zij kwam naar me toe op mijn eerste schooldag. Heleen houdt van verhalen verzinnen. Ze wil later computerspelletjes maken. Ik weet nog niet wat ik later wil doen.

Gelukkig komt ze zo meteen bij mij spelen, want ik verveel me een beetje. In Groossappel was er altijd wel iets leuks te doen, maar hier in Hinterhugel is het heel stil. Met Heleen zal ik hopelijk een avontuur beleven.

Pension Kat

Lot zat buiten op de veranda te wachten. Heleen kwam op haar fiets bij Pension Kat aan.

'Hoi,' zei Lot.

'Hoi!' Heleen stapte af en zette haar fiets tegen de rode brievenbus. 'Wat een spannend huis,' riep ze. 'Echt zo'n huis waar een gek, oud vrouwtje lange kousen breit voor haar kikkers.'

'O ja?' Lot had het pension zo nog niet bekeken.

'Wat een grappige, gele kat.' Heleen zag hem op de brievenbus staan. 'Is dat het uithangbord voor Pension Kat?'

'Nee, dat is een lamp, hij is van plastic.' Als bewijs tikte Lot ertegenaan. 'Als het 's nachts pikkedonker is, kun je toch zien waar het pension is, zegt Itto.'

'Cool!' zei Heleen.

'Kom, dan laat ik je de kamers zien.' Lot rende voor Heleen uit over de veranda en door de voordeur. Twee katten kwamen aanrennen over het grind en konden nog net mee naar binnen glippen. Ze miauwden enthousiast naar Lot en Heleen.

'Kijk, dit zijn Mik en Bel.' Lot bukte om ze te aaien.

'Waar is Roet?' vroeg ze aan de katten. 'Is prinses Roet aan het slapen?'

'Lot? Ben jij dat?' riep Itto vanuit de keuken. De deur zwaaide open.

'Hallo, wie ben jij?' vroeg hij aan Heleen.

'Dit is nou Heleen. Ik had je al verteld dat ze kwam,' zei Lot.

'Hallo Heleen, welkom in Pension Kat.' Itto gaf haar een hand.

'Hallo meneer Itto,' zei ze.

De telefoon rinkelde en Itto nam op. 'Met Pension Kat, wat kan ik voor u doen? ... Ja, we hebben nog kamers vrij. Wilt u de Koningskamer, de Landkamer of het Weeskamertje?'

Heleen moest lachen om de namen.

'Snel, straks kunnen we niet meer in de kamers,' zei Lot en ze trok Heleen mee naar boven. Op de eerste verdieping was een kleine gang met drie deuren en een tweede trap. 'We gaan eerst naar de Koningskamer.' Met twee treden tegelijk rende Lot verder naar boven. Op de tweede verdieping was er maar één deur, aan het eind van de trap. Een glanzend witte deur met goudgeschilderde randen. Lot deed de deur open en liet Heleen als eerste naar binnen gaan.

'Wauw, wat mooi!' Heleens ogen werden twee keer zo groot. 'Ik wil ook zo'n kamer,' riep ze. 'Is dit jouw slaap- kamer?'

'Nee, deze is van Itto als het winter is. Dan slaap ik in de Landkamer hieronder.'

'Alles is zo netjes, het is net de kamer van de schoon- ste winterprinses,' zei Heleen.

Aan de palen van het hemelbed had Itto witte gordij-nen met gouddraad gehangen. Er stonden nachtkastjes met daarop goudkleurige wekkers, een luxe stoel bij de kleine haard en een tafeltje met een marmeren blad. In het badkamertje stond, naast een bad op leeuwenpoten, een glimmend toilet.

'Nu gaan we naar de Landkamer,' zei Lot. 'Misschien komen de gasten al heel snel!'

Samen met Mik en Bel ging ze naar beneden. Heleen volgde met tegenzin, ze wilde liever nog even in de Koningskamer blijven.

'Dit is dus de Landkamer.' Lot opende met een zwier de deur.

'Hij is helemaal groen,' riep Heleen. 'Deze kamer is wel kleiner.' Ze probeerde het hemelbed uit. Liggend op de groengeruite sprei zag ze dat de palen van boomstammen waren gemaakt. 'Hé, er zitten nog takken aan. Het lijkt wel een boomhut, te gek!'

'De douche en het toilet zijn op de gang, die moeten de gasten delen met de derde kamer,' vertelde Lot.

'Bah, een douche delen met een vreemde gast lijkt me niks.' Heleen stak haar tong uit. Lot liep naar de volgende deur. Heleen sprong van het bed.

'Het Weeskamertje is nog veel kleiner,' zei Lot toen ze de deur opentrok. 'Het was vroeger de bezemkast.'

'O, het is niet veel breder dan het bed dat erin staat,' zei Heleen. 'Maar het is wel een leuke kamer waarin je je kunt verstoppen.'

Terwijl ze de trap af liepen naar de kleine hal, zagen ze dat Itto twee gasten inschreef in het receptieboek van Pension Kat. Hij gaf hun de sleutel van de Koningskamer. Toen de gasten boven waren, zei Itto: 'Dat zijn de mensen van het telefoontje. Leuk hè? Petulia van

14

eetcafé De Lachende Big heeft hen naar ons toe gestuurd.'

'Hebt u geen computer?' vroeg Heleen aan Itto, terwijl ze naar het gastenboek keek. 'Die heeft toch iedereen? Vorig jaar toen we op vakantie waren, hadden ze die ook in ons hotel.'

Itto keek wat moeilijk.

'Ja Itto, een computer,' riep Lot blij. 'Dan kan ik ook een website voor Pension Kat maken.'

Itto sloeg het receptieboek dicht. 'Nee Lot, ik wil geen computer,' zei hij. 'In Pension Kat komt die er niet in.'

'Maar...' Lot probeerde het nog een keer.

'Nee Lot, het gebeurt niet.' Itto verdween naar de keuken. De meisjes bleven verbaasd achter in het halletje.

'Stom,' mompelde Lot zachtjes. 'Een computer is hartstikke handig.'

'Sorry,' zei Heleen, 'ik had het niet moeten zeggen.'

Het was even stil.

'Wil je mijn slaapkamer in de kampeerbus zien?' stelde Lot toen voor.

'Ja, leuk!' riep Heleen.

Ze gingen door de ontbijtkamer naar buiten. De tuindeuren kwamen op een kleine veranda uit.

'Hé, nog een veranda,' zei Heleen, 'en een pad. Waar leidt dat naartoe?'

'Naar de grote wei. Er staan fruitbomen in,' antwoordde Lot. Ze liep naar de dichte haag.

'De bus staat hierachter.' Lot wees omhoog en Heleen zag de bus boven de haag uitsteken.

'Ik wil ook zoiets bij ons in de tuin. Dat is hartstikke spannend,' riep Heleen.

Bij de bus lag Roet in de zon.

15

'Hé, prinsesje Roet.' Lot krabbelde haar achter de oren. De zwarte kat draaide zich op haar rug en miauwde. In de bus kwam je via een kleine, smalle trap bij het bed van Lot. Het was haar eigen plek. Er lagen boeken die ze uit Groossappel had meegenomen, haar koeienwekker en nog wat spullen. Itto had er een klein raam gemaakt.

'Wat gezellig!' riep Heleen. 'Dit is echt een geheime kamer!'

Lot begon het leuker te vinden in Pension Kat nu Heleen haar vriendin was. Maar ze wilde haar toch iets vragen. 'Is Hinterhugel eigenlijk wel leuk?' vroeg ze.

'Ja, echt wel. Waarom vraag je dat?'

'In Groossappel was er altijd wel iets te doen. En ik dacht dat er buiten de hoofdstad niks te beleven was.'

Heleen dacht even na. 'Ken je het landhuis?' vroeg ze.

'Nee, waar is dat?' Lot ging enthousiast rechtop zitten.

'Er staat in de bossen een groot, oud huis achter een muur. Met een oprijlaan en een enorme tuin eromheen.' Ze strekte haar armen uit. 'Er woont niemand, het staat al heel lang leeg en is hartstikke geheimzinnig. Het is meer dan honderd jaar oud, zegt mijn oma. Van mijn moeder mag ik er niet naartoe, want dat is zogenaamd gevaarlijk.'

'Zo'n huis is juist leuk,' zei Lot.

'Ja, dat zei ik ook tegen haar. Zullen we er morgen naartoe gaan?'

'Waarom niet nu?' vroeg Lot.

'Ik moet straks met mijn ouders naar de verjaardag van mijn tante,' zei Heleen. 'Al heb ik er eigenlijk helemaal geen zin in.'

'Jammer,' zei Lot. 'Zal ik je morgen komen ophalen?'

17

Een spannend landhuis

De volgende dag at Lot samen met Itto haar ontbijt onder de boom naast de kampeerbus.

'Ik ga straks naar Heleen. Ze gaat me een oud landhuis laten zien,' vertelde Lot.

'O ja, dat ken ik wel,' zei Itto met zijn mond vol. 'Als je maar voorzichtig bent.'

Even later scheurde Lot de heuvel af naar het dorpje. Heleen had uitgelegd hoe ze moest fietsen om bij haar huis te komen. Ze had nog maar net aangebeld of de deur vloog al open.

'Wat ben je laat! Ik zat al te wachten,' riep Heleen. 'Kom, we gaan meteen.'

'Mag ik je kamer niet zien?' vroeg Lot.

'Dat doen we straks wel. Eerst gaan we het landgoed ontdekken. Dat is veel spannender.'

Samen fietsten ze via de rotonde langs De Lachende Big. Ze gingen door het straatje achter het eetcafé en langs de kerk met het kerkhof de bossen in. De slingerende keienweg tussen de bomen ging over in een harde zandweg.

'We zijn er bijna,' riep Heleen. De zandweg kwam uit

op een gewone weg en vlakbij zag Lot een grote, ijzeren poort tussen twee poortwachtershuisjes. Bij de poort stapten ze af. Heleen rammelde aan de poort, maar hij zat op slot. De oude muur rond het landgoed was dik begroeid met klimop. Ze konden er niet overheen kijken.

'Kom,' zei Heleen, 'we klimmen eroverheen.' De meisjes zetten hun fietsen tegen de muur. Sommige stenen waren afgebroken en dankzij de gaten en de klimop konden ze er gemakkelijk overheen klimmen.

Achter de poort lag de lange oprijlaan naar het landhuis. Het gras naast de laan was lang en Lot zag al van ver dat het huis heel oud was. 'Het ziet er een beetje eng uit,' zei ze.

'Dit is het beste spookhuis dat er bestaat!' riep Heleen blij.

Alle luiken voor de ramen waren gesloten en de verf bladderde. Hier en daar zat een scheur in de muur. Ze liepen over de hobbelige oprijlaan naar de enorme voordeur in het midden van het huis, boven een brede, stenen trap. Heleen probeerde of de deur open was, maar hij zat potdicht. Lot wilde aan de gesloten luiken rammelen. Ze moest op haar tenen gaan staan om erbij te kunnen, want de ramen zaten hoger dan in gewone huizen.

De meisjes liepen door naar de zijkant van het huis en ontdekten een andere deur. Een normale deur, niet zo'n enorm grote als aan de voorkant, maar ook deze was op slot.

'Dit is vast de deur voor het personeel,' zei Heleen. 'Mijn oma vertelde dat ze vroeger als dienstmeisje heeft gewerkt. Ze moest dan door de personeelsingang naar binnen.'

'Werkte ze in dit enge huis?' vroeg Lot.

'Nee, in een ander groot huis in Groossappel,' zei Heleen. 'Raar hoor, dat ze niet gewoon door de voordeur mocht.'

'Die was alleen voor belangrijke gasten, denk ik,' zei Lot.

'Stom, mijn oma is ook belangrijk.'

'Zullen we aan de achterkant gaan kijken?' vroeg Lot. 'Misschien is daar iets open.'

Ze renden ernaartoe. Maar ook daar waren de luiken en deuren allemaal dicht.

'Jammer,' zei Lot met een zucht, 'ik had wel in het huis willen rondkijken. Er staan misschien nog mooie spullen op de zolder of in de kamers.' Lot keek naar boven. 'Kijk!' riep ze. 'Daar staat een luik open!'

'We moeten een ladder hebben,' zei Heleen. Ze keek de tuin rond op zoek naar een schuur. Diep achter in de tuin zag ze achter een dikke beukenboom een klein gebouw staan.

'Daar! Dat is vast de schuur.'

Ze renden er door het hoge gras naartoe. Allerlei insecten vlogen en sprongen voor hun voeten weg. Maar dichter bij de schuur aangekomen zag Lot dat er iets niet klopte.

In het gebouwtje zaten kleine ramen, vlak onder het dak. Er zat geen glas in, maar een metalen vlechtwerk en ze zagen geen deur. Lot en Heleen liepen om het gebouwtje heen. Aan de achterkant zat ook geen deur, maar wel een ijzeren hek.

'Het lijkt helemaal niet op een schuur,' zei Lot.

'Bij een landhuis hoort geen gewone schuur, denk ik.' Heleen keek teleurgesteld. Door het hek zagen ze een aantal lange, stenen kisten boven elkaar. Op de grond dwarrelden dorre bladeren.

'Wat zijn dat voor kisten?' vroeg Lot.

'Weet ik niet.' Heleen speurde tussen de tralies door. 'Hé, er staan namen op.' Ze las hardop: 'Baron Ce Triest de Temperdu 1760-1824.' Ze draaide zich om naar Lot. 'Hier ligt de adellijke familie Ce Triest de Temperdu, die vroeger in het landhuis woonde. Het is hun familiegraf. Cool!'

'Gatver,' riep Lot, 'dat zijn doodskisten. Daar liggen oude lijken in!' Ze deed een paar stappen naar achteren. 'Ik wil weg.' Lot wachtte niet en rende terug naar de fietsen.

'Wacht op mij!' riep Heleen, die niet alleen bij de stenen doodskisten wilde blijven.

Na twintig minuten fietsen kwamen de meisjes bij het huis van Heleen aan. Ze gingen samen naar haar kamer, die alle kleuren van de regenboog had.

'Zullen we een andere keer nog eens proberen het huis binnen te komen?' vroeg Heleen. 'We hebben nog niet geprobeerd alle luiken open te maken.'

'Ik weet het niet. Het grote huis wil ik wél zien,' zei Lot, 'maar die doodskisten vind ik eng.'

'Was je bang?' vroeg Heleen. 'Ik vond het wel spannend. Lekker griezelig.'

Lot schaamde zich een beetje. 'Ik vind het wel eng dat er dode mensen in liggen,' gaf ze toe.

'Ik denk niet dat ze eruit komen,' zei Heleen.

'En ik wil ook nooit zo'n Ce Triest de Temperdu tegenkomen.' Lot voelde een rilling over haar rug gaan.

Barones Ce Triest de Temperdu

In Frostenland, dat ten noorden van Benedelux ligt, staat een groot, statig huis dat Koldenborg heet.

Bij een van de vele ramen stond barones Ce Triest de Temperdu met een pekinees op haar arm. Ze was de laatste telg van de adellijke familie en keek naar de chemiefabriek die haar familie daar zestig jaar geleden had gebouwd. Drie zwarte schoorstenen bliezen gifgroene rook uit.

'Mooi hè, Tristan,' zei ze trots tegen haar hondje.

Toch was de barones niet alleen maar blij met haar fabriek. Het personeel wilde te veel geld en goedkopere werknemers waren niet makkelijk te vinden in Frostenland.

'Ze zeuren, Tristan,' zei ze vaak.

Haar zorgelijke gedachten dwaalden af naar een zeer vervelende zaak uit het verleden van de familie Ce Triest de Temperdu.

'En dan is er nog steeds Hinterhugel,' zei de barones tegen Tristan, met een vieze smaak in haar mond. Starend naar de gifgroene rook groeide er een idee in haar hoofd. Een plan om de geschiedenis van haar familie

24

recht te zetten. Ze was er al een tijdje op aan het broeden. En nu wist ze eindelijk hoe ze het probleem zou aanpakken.

'Hinterhugel, het dorpje dat niemand kent,' zei ze, 'of zal missen.'

De barones ging meteen aan de slag om haar plan uit te voeren. Het moest nú gebeuren. Op haar computer zocht ze met een zoekmachine naar gravers. Er kwam een lange lijst hits tevoorschijn. De meeste daarvan waren wel bruikbaar, maar ze had een speciaal plan bedacht voor Hinterhugel. En daar had ze heel speciale gravers voor nodig. Eén hit trok haar aandacht.

'Deze is interessant,' zei ze tegen Tristan. 'Het is de beste keuze en vast heel goedkoop.'

Ze klikte hem aan. Op de website las ze verder en ze noteerde het telefoonnummer dat er stond.

'Nu heb ik alleen nog een aantal heel sterke mannen nodig.' Ze gaf Tristan een kus en riep Nina. Haar kleine bediende, met een gezicht gerimpeld als een rozijn, kwam binnen.

'Nina,' zei de barones, 'werken je vijf zoons nog steeds als bewakers?'

'Ja, dat klopt, barones,' zei ze.

'Maar eigenlijk zijn het bouwvakkers,' zei de barones, 'dat klopt ook?'

'Ja, barones,' zei Nina. 'Maar er is geen werk in de bouw te vinden.'

'Terwijl ze het liefst willen bouwen,' zei de barones.

'Ja, barones.'

'Het oude landhuis van mijn familie in Hinterhugel moet verbouwd worden. Ik wil hun die klus wel geven, als ze het ook voor me bewaken.'

'Daar zullen ze heel blij mee zijn,' zei Nina.

'Mooi!' zei de barones. 'Zorg ervoor dat ze vanavond hier zijn om de plannen te bespreken.'

Nina ging meteen de kamer uit om haar zoons te bellen.

De barones liep met Tristan naar een kast. Ze pakte er een plattegrond uit en vouwde die open op de tafel.

'Kijk, Tristan. Dit is mijn oude huis in Hinterhugel.' De pekinees snuffelde aan de kaart. 'De zoons van Nina gaan het weer helemaal mooi maken. Voor jou.'

De barones zocht op de plattegrond naar de geheimen van het landhuis.

'Hier is de ondergrondse gang, Tristan!' zei ze. Haar dunne vinger volgde een stippellijn die van het huis naar de rand van Hinterhugel liep. Op de plek waar de gang stopte, stond een tekeningetje van een kerk met een kerkhof.

'Ja, Tristan, die kant gaan we op!'

Archeologieclub Subterra

Lot was vroeg wakker geworden, want het was een bijzondere dag. Vandaag kwam Heleen logeren in Pension Kat. De ouders van Heleen, die hele dagen werkten, vonden het een prima plan.

'Leuk, hè?' zei Lot tegen Mik, Roet en Bel. Ze liepen in de wei, die vol met bloemen stond. De zon hing net boven de hoge heuvels en honderden hommels zoemden van klaproos naar klaproos.

Itto kwam gapend uit de bus. Door het kleine, witte hek wandelde hij naar de wei.

'Lot!' Itto zwaaide en gebaarde dat ze naar hem toe moest komen. Roet rende voor Lot uit, want ze verwachtte een bak vol malse kattenbrokken.

'Heb je al ontbeten?' vroeg Itto. Lot schudde haar hoofd. 'Nou, ga dat dan maar snel doen, want ik heb een klusje voor je.' Hij liep met Lot terug naar de bus.

'Wat dan?' vroeg Lot.

'Als je straks Heleen gaat ophalen, kun je voor mij wat boodschappen doen in de Markthal.'

'Moet dat echt?' vroeg Lot.

'Ja,' zei Itto. Hij wees naar Lots fiets, die onder de

boom naast de bus stond. Voor op de fiets had Itto
een krat vastgemaakt. Op de zijkant stonden de woorden Pension Kat geschilderd. Zo maakte ze al fietsend
reclame.

'Handig hè?' zei Itto trots. Lot keek hem een beetje
schuin aan. Ze vond het niks.

'Ik ga zo niet rondrijden,' zei ze. 'Het is al een rare
fiets en nu zit er ook nog reclame op!' Mik, Roet en Bel
sprongen in het krat.

'Hun bevalt het wel,' zei Itto met een glimlach. 'En als
je wilt, kun je dit brik mooier maken. Er staat nog een
potje goudverf in het schuurtje.'

Lots gezicht stond ineens een stuk vrolijker. 'Ja! Niemand heeft een gouden fiets. Super!' Meteen rende ze
naar het schuurtje.

'Wacht!' riep Itto. 'Niet nu! Je moet boodschappen
doen en Heleen ophalen.' Lot stopte, draaide op één
been om en rende regelrecht de bus in om te ontbijten.

Met een tas vol boodschappen kwam Lot de Markthal
uit. Ze liep naar haar fiets en zette haar tas neer. Agent
Boethen kwam juist het politiebureau uit gelopen. Lot
kende haar wel, want de agent fietste of jogde vaak
langs Pension Kat. Itto nodigde haar dan wel eens uit
voor een kop thee.

'Hoi Lot,' zei Boethen. 'Hoe is het met je? En met Pension Kat?'

'Goed hoor,' zei Lot.

'Hebben jullie veel gasten?' Boethen sloeg haar
armen over elkaar.

'Nee, nu niet meer. Er waren twee mensen, maar die

bleven maar één nacht,' zei Lot. 'Ik hoop dat er snel weer gasten komen, want dat vindt Itto het leukst.'

'Zo'n pension zou niks voor mij zijn,' zei de agent. 'Ik zou de gasten niet zomaar vertrouwen. Je weet niet waar ze vandaan komen of wat ze ooit hebben gedaan.' Ze schudde haar hoofd. 'Maar nu ga ik mijn ronde doen. Tot de volgende keer bij de thee.'

'Dag.' Lot zette de boodschappentas in het krat. Aan de overkant van de rotonde zag ze De Lachende Big, het eetcafé van Petulia. Op het terras stonden de stoelen nog ondersteboven op de tafeltjes. Petulia was ertussendoor aan het vegen. Itto stuurde zijn gasten voor het avondeten altijd naar De Lachende Big, want Petulia kookte erg lekker. Zo hielpen ze elkaar. Petulia zag Lot en zwaaide. Lot fietste naar haar toe.

'Hallo, lieve Lot.' Petulia leunde op haar bezem. 'Heb je het naar je zin in Hinterhugel?'

'Ja hoor, best wel,' zei Lot.

'Nou, dat is goed om te horen.' Op Petulia's ronde gezicht verscheen een glimlach. 'Wij zijn ook heel blij dat je er bent.' Lot klonk dat vreemd in de oren, net alsof Hinterhugel op haar had zitten wachten. Zo bijzonder vond ze zichzelf niet.

'Lotjelief, wil je Itto voor mij nog eens bedanken? Het is heel fijn dat hij zijn gasten doorstuurt naar mijn Lachende Big. Ik geniet er echt van.'

'Goed, dat zal ik doen,' zei Lot, 'maar ik ga nu eerst Heleen halen. Ze komt bij mij logeren.'

'O, wat gezellig!' riep Petulia. Op dat moment kwam een kleine bus langsgereden over de rotonde. Achter de chauffeur zaten een stuk of twaalf kinderen te lachen en te gillen. Een jongen keek naar Lot en zwaaide.

'Dat ziet er leuk uit. Waar zouden die naartoe gaan?' vroeg Petulia zich hardop af.

Het busje werd gevolgd door een witte vrachtauto. Voor in de cabine zaten vijf grote mannen gepropt.

'Weet ik niet.' Lot haalde haar schouders op. 'Misschien is er een vakantiekamp vlakbij?'

'Nee hoor,' zei Petulia. 'Dat zou ik wel weten.'

Lot stapte op haar fiets. 'Dag!' riep ze nog naar Petulia en fietste verder.

'Dag!' riep Petulia, die nog steeds de twee auto's nastaarde.

'Hoi,' zei Heleen glimlachend toen ze de deur opende. Ze sjorde een volle weekendtas met zich mee. 'Wat heb jij nou allemaal bij je?'

'Ik moest nog wat boodschappen doen voor Itto,' zei Lot.

Heleen maakte de tas op haar fiets vast. De meisjes reden de straat uit, op weg naar Pension Kat.

'Ik heb er zo'n zin in,' zei Heleen, de schuine weg op fietsend. 'Het lijkt wel alsof ik naar het buitenland ga.'

'Hoe kan dat nou? Het is maar een halfuur fietsen vanaf jouw huis,' zei Lot lachend.

'Nou, toch voelt het zo. Jullie pension ligt wel buiten ons dorpje.'

Toen ze boven aan de heuvel bij Pension Kat kwamen, zag Lot de kleine bus staan met daarin de kinderen. De witte vrachtauto van de vijf mannen stond verderop geparkeerd. Een van de grote mannen stond tegen de vrachtauto aan geleund en loerde naar Lot en Heleen.

'Die bus met kinderen heb ik bij De Lachende Big gezien. Hij reed me voorbij,' riep Lot uit.

'Komen ze in Pension Kat logeren?' vroeg Heleen. 'Past dat wel?'

'Misschien als ze in de wei gaan kamperen,' zei Lot.

Ze fietsten langs het busje naar het pension. Alle kinderen zaten nog in de bus. Terwijl Lot de boodschappen en Heleen haar tas naar binnen sjouwde, zagen ze een man in de hal staan. Itto schreef hem in het receptie-boek in als gast. Naast hem stond een koffer. De kleren van de man hadden de kleur van zand. Er zaten een heleboel zakken op zijn overhemd en broek. Itto gaf de man de sleutel van de Landkamer en zei: 'Welkom in Pension Kat, meneer Amant.'

'Ja, eh, dank u,' antwoordde meneer Amant een beet-je nerveus. 'Mag ik mijn busje op het parkeerplaatsje zetten?'

'Ja, natuurlijk mag dat,' zei Itto met een glimlach.

'Dank u.' Meneer Amant knikte en ging met zijn koffer naar boven.

'Hallo dame.' Itto keek Heleen aan. 'Ook jij bent van harte welkom bij ons.'

Heleen giechelde.

'Wie is onze nieuwe gast?' vroeg Lot.

Terwijl Itto de boodschappen naar de keuken bracht, vertelde hij dat de man voorzitter was van archeologie-club Subterra. 'De kinderen in het busje zijn junior-archeologen. Meneer Amant slaapt hier in Pension Kat en de kinderen kamperen op het archeologiekamp met nog vijf begeleiders. Hij gaat straks elke dag met zijn busje naar het kamp toe.'

'Cool! Een archeologiekamp!' riep Heleen. 'Mummies, goud en schatkaarten. Waar is dat kamp?'

'Dat weet ik eigenlijk niet.' Itto krabbelde op zijn hoofd. 'Dat ben ik hem vergeten te vragen. Daar ben ik ook wel nieuwsgierig naar.' Hij draaide zich om en zette alle boodschappen in de kast.

'We gaan gewoon vragen waar het kamp is,' zei Lot tegen Heleen en wees over haar schouder in de richting van het busje.

Heleen liet haar tas op de grond vallen. De meisjes renden naar de kleine bus en klommen erin. De pratende en lachende kinderen hadden allemaal dezelfde T-shirts aan. Er stonden een schepje en een borstel op met daartussenin een doodskop.

'Hoi,' zei Lot tegen de kinderen in de voorste stoelen. Een aantal hoofden draaide zich om.

'Hoi,' zei de jongen voorin, 'ik heb jou in het dorpje gezien. Gaan jullie ook mee?'

'Nee,' zeiden Lot en Heleen tegelijkertijd.

'We willen gewoon weten waar jullie naartoe gaan. Ik ben Lot en ik woon in Pension Kat.' Lot wees naar het huis.

'En ik ben Heleen en ik logeer er,' zei Heleen met een grote glimlach op haar gezicht.

'Mijn naam is Frank. We gaan graven bij rivier de Lesse,' vertelde hij.

Een meisje naast hem knikte enthousiast. 'Ik heet Sanne. Wij zijn van archeologieclub Subterra,' zei ze. 'We willen allemaal archeoloog worden.'

'Wat is er bij de Lesse te zien dan?' wilde Heleen weten.

'Een eeuwenoude kasteelruïne,' zei Sanne. 'Daar gaan we graven en zoeken naar oude spullen.'

'Ik weet helemaal niks van een kasteelruïne,' zei Heleen, 'en ik woon hier al mijn hele leven.'

'Het ligt ook allemaal verborgen onder de grond, je kunt het niet zien.'

Meneer Amant kwam het busje binnen. 'Wat doen jullie hier?' vroeg hij aan Heleen en Lot. 'Jullie mogen hier niet komen. De bus is alleen voor de kinderen van Subterra!'

'We wilden alleen maar...' begon Heleen.

'Dat hoef ik niet te weten, ga maar gewoon de bus uit. Dat lijkt me het beste.'

De twee meisjes deden wat hij zei.

'Waarom jaagt u ze nu weg?' hoorden ze Frank nog vragen. 'Ze wilden alleen maar weten waar onze opgraving is.'

'Ja,' zei Sanne. 'Dat is toch juist leuk?'

'We, eh... ik wil geen pottenkijkers in het kamp.' Meneer Amant kreeg een rood hoofd. 'Niemand mag ook maar iets vertellen tegen vreemden, daar is de opgraving te belangrijk voor.'

Even later ging de deur dicht en reed de kleine bus weg.

'Wij zijn geen pottenkijkers,' zei Heleen boos.

'Ik wil toch in het kamp gaan kijken,' zei Lot. 'We laten ons niet wegsturen door die meneer Amant!' Ze probeerde net zo stoer te zijn als Heleen.

'We weten niet waar het kamp ligt,' zei Heleen. 'De Lesse is hartstikke lang. Die loopt helemaal naar de zee.'

'Maar meneer Amant gaat elke dag van Pension Kat naar het archeologiekamp. Dan kan het toch niet ver weg zijn?' bedacht Lot.

Ze liepen terug naar het pension.

Heleen zei: 'Ik weet wel een andere ruïne langs de Lesse. Een watermolen.'

Ze besloten de volgende dag op onderzoek uit te gaan.

Samen brachten ze Heleens tas naar de kampeerbus. Roet lag op een lage tak in de boom ernaast te soezen. De zon scheen door de bladeren en tekende lichtvlekjes op haar zwarte vacht. Mik en Bel, die in de wei naar muizen hadden gezocht, kropen door het witte hek. Ze draaiden miauwend om de enkels van Lot en Heleen. De meisjes kriebelden de katten achter hun oren, waardoor Roet jaloers werd. Met een elegante sprong kwam ze van de tak en wrong zich tussen de andere twee katten.

'Lot!' riep Itto vanaf de veranda aan de achterkant van Pension Kat. 'Lot, waar ben je?'

'Ik kom eraan.' Heleen en Lot liepen naar Itto.

'Wil je nog iets voor me doen?' Itto's wenkbrauwen gingen vragend omhoog. 'Heleen kan je helpen. We hebben te weinig groen wc-papier voor de Landkamer. Kun je voor mij nog wat rollen in een badje zetten?'

'Ja, doe ik.' Lot liep meteen naar het kelderluik. Heleen ging verbaasd achter haar aan, samen met Mik en Bel. Roet slenterde weer terug om lui in de boom te gaan liggen. Lot en Heleen gingen met het trapje naar beneden.

'Rollen in een badje zetten,' herhaalde Heleen. 'Wat bedoelt Itto?'

'Voor het toilet van de Landkamer konden we geen groen wc-papier vinden. Daarom maken we het zelf. Toen Itto een keer spinazie aan het koken was en water morste, kreeg hij een idee. Het water waarin we spinazie koken, bewaren we sindsdien.' Lot pakte een grote, glazen pot. Er zat helder, groen water in. ''s Avonds zetten we witte rollen in een laagje spinaziewater en de volgende ochtend zijn ze helemaal knalgroen. En dan

36

hangen we ze aan de waslijnen in het schuurtje te drogen.' Lot nam een diepe schaal van een plank. Ze vroeg Heleen om de rollen papier uit het plastic te halen. Terwijl Lot het groene water in de schaal goot, zette Heleen de vier rollen er voorzichtig in.

Die middag speelden ze in het bos vlak bij Pension Kat, samen met Mik, Roet en Bel.

Aan het einde van de middag waren ze moe van het lopen en rennen. Terug bij Pension Kat nam Heleen haar tas mee naar de wei en haalde haar tent eruit.

'We kunnen er allebei in,' zei Heleen terwijl ze de tentstokken uit de zak schudde.

'Ja, leuk!' riep Lot. 'Ik ga vast mijn slaapzak pakken.' Ze rende naar de bus. Toen ze terug was, zag ze de wir-war van stokken. 'Is dat moeilijk, zo'n tent opzetten?'

'Nee,' zei Heleen, 'deze is heel makkelijk. De stokken zijn net spinnenpoten. En er zitten ook kleine spion-nenraampjes in de tent.'

Toen de tent stond, raakte de zon bijna de hoogste heuveltoppen. Itto riep de meisjes naar de kampeerbus. 'Vanavond gaan we picknicken in de wei,' zei hij. 'Zoe-ken jullie vast een leuke plek? Leg dit kleed er maar neer.'

'Te gek!' riep Heleen. 'Ik wil hier altijd wel wonen.'

'Vind je het dan niet leuk bij je ouders?' Lot snapte niet dat Heleen zoiets kon menen.

'Jawel, maar dit is een veel leukere plek om te wonen. Wij wonen gewoon in een straat. Tussen andere huizen ingeklemd.'

Maar wel met je ouders, dacht Lot.

Toen het kleed op de grond lag, kwam Itto aanlopen

met een groot dienblad vol lekkernijen. Als verrassing had hij ook drie lampionnen bij zich, die hij in de boom hing. Er waren katten op geschilderd. Door de lampjes erachter leken ze tot leven te komen.

Toen alles op was, brachten Lot en Heleen de borden en het bestek naar binnen. Niet veel later kropen ze de tent in en kletsten nog uren, voordat ze in een diepe slaap vielen.

De eeuwenoude kasteelruïne

Lot werd wakker. Ze wist even niet waar ze was. In de knalrode slaapzak naast haar was Heleen nog diep in slaap. Lot kroop de tent uit en liep naar de kampeerbus, maar Itto was al aan het werk in Pension Kat.

'Miauw!' Lot voelde Roet langs haar enkel schuiven.

'Hé Roetje, je wilt zeker eten?' Lot aaide haar zwarte vacht. Mik en Bel scharrelden zelf hun kostje bij elkaar in de wei, maar Roet werd liever bediend. Lot gaf haar een bakje eten en ging terug naar de tent.

'Heleen, ben je al wakker?' vroeg Lot zachtjes door het tentdoek heen. Als antwoord ging de rits open.

'Allang!' Heleen kroop naar buiten.

Lot en Heleen renden naar de keuken van Pension Kat. In de ontbijtkamer zat meneer Amant wakker en schoongeboend aan tafel.

Aan de keukentafel aten de meisjes samen met Itto lekkere broodjes.

'Heleen gaat me een oude watermolen aan de Lesse laten zien,' vertelde Lot aan Itto.

'Leuk!' Itto lachte. 'Maar willen jullie eerst het groene wc-papier te drogen hangen in de schuur?'

Na het ontbijt gingen ze naar de kelder, met de katten op hun hielen. Lot en Heleen zagen dat het wc-papier nat en knalgroen was geworden. Voorzichtig zetten ze de rollen op een afdruiprek. Daarna brachten ze de rollen naar de schuur om te drogen te hangen aan de waslijnen.

'Kunnen we nu gaan?' vroeg Heleen.

'Ik wil Itto zeggen dat we vertrekken,' zei Lot. In de hal van Pension Kat was Itto net aan het telefoneren. Hij gebaarde dat ze stil moesten zijn. De meisjes hielden hun mond stijf dicht, maar zodra ze elkaar aankeken proestten ze het uit van het lachen. Itto wuifde ze weg. Lot en Heleen gingen giechelend naar de veranda. Door de deuropening zagen ze dat Itto de telefoon neerlegde. Toen Lot en Heleen weer binnenkwamen, was hun lachbui over.

'We hebben een nieuwe gast voor de Koningskamer,' zei Itto. 'Barones Ce Triest de Temperdu.'

'Van het landgoed!' riepen Lot en Heleen in koor.

Meneer Amant spitste meteen zijn oren. Vanuit de ontbijtkamer luisterde de man aandachtig mee en propte zijn laatste broodje snel naar binnen.

'Leeft die familie nog?' vroeg Heleen verbaasd.

'Ja, dat wist ik ook niet,' zei Itto. 'Ze komt later op de dag. Er is dus heel wat te doen om de kamer tiptop in orde te krijgen.'

O nee, dacht Lot. Niet nog meer klusjes!

Maar gelukkig zei Itto: 'Dus ik kan jullie niet in de buurt hebben. Ga maar naar die watermolen toe. Hup!'

Een grote glimlach verscheen op het gezicht van Lot. Snel liep ze met Heleen naar hun fietsen.

In Lots fietskrat zaten de drie katten. 'Die nemen we mee, dan heeft Itto geen last van ze,' besloot Lot.

'Goed, maar zullen we nu naar het landhuis gaan?' stelde Heleen voor. 'Als die barones straks komt, kunnen we er misschien niet meer naartoe!'

'Oké,' zei Lot. 'Maar ik ga niet nog een keer naar dat familiegraf!'

'Nee, natuurlijk niet! Daar is toch niks te zien,' zei Heleen. 'Ik weet een kortere weg dan die door het dorp.'

Ze stapten op hun fiets. Bij de Drie-Bomenkruising sloegen ze linksaf richting rivier de Lesse. De weg liep schuin naar beneden af. Hun voeten lieten de trappers los en ze raceten naar beneden. De wind joeg langs hun wangen en de oren van Mik, Roet en Bel wapperden op en neer. Lot genoot van de snelheid, het voelde alsof ze vloog. Onder aan de weg lag een kleine brug die over de Lesse boog. Net voor de brug maakte de weg een bocht, de meisjes volgden deze.

'We snijden verderop een stuk af,' zei Heleen en ze nam even later een smal zandpad. Het pad kwam na een tijdje weer op de gewone weg uit. Voor Lot het in de gaten had, waren ze bij de poort van landgoed Ce Triest de Temperdu.

Het eerste wat ze zagen was dat de poort openstond. Met piepende remmen stopten de meiden. De drie kattenkoppen botsten tegen elkaar.

'Er is iemand op het landgoed,' fluisterde Lot.

'Dan moeten we voorzichtig zijn, we gaan niet door de poort,' zei Heleen. 'We klimmen over de muur, daar aan de zijkant van het landgoed.'

Heleen ging Lot en de katten voor naar de harde zandweg naast het landgoed. Ze verstopten hun fietsen ach-

ter de struiken en slopen naar de muur. Bladeren knisperden onder de kattenpoten en droge takken knapten onder de meisjesvoeten.

'Mag dit eigenlijk wel?' vroeg Lot aan Heleen.

'Hoezo?' Heleen fronste haar wenkbrauwen.

'Nou, is dit geen inbreken? Misschien is de barones hier om naar het landhuis te kijken, voordat ze naar Pension Kat gaat,' fluisterde Lot. 'En ik ben geen dief.'

'We gaan toch niks stelen?' vroeg Heleen. 'Waarom durf je nu niet meer?'

'Ik ben niet bang!' loog Lot. 'Maar er is nu wel iemand in het huis.'

'Die ziet ons vast niet,' zei Heleen.

Zachtjes klommen ze via de klimop over de muur en slopen langzaam tussen de bomen en grote struiken door. Een koppel kraaien kraste hoog in de bomen. Vanachter een struik bespiedden ze het landhuis. In de tuin achter het huis stonden vier flinke tenten in het hoge gras. Er stond iets op de zijkant getekend. Het was de doodskop tussen een schep en een borstel van archeologieclub Subterra!

'Waarom zijn zij hier?' fluisterde Lot. 'Er is hier geen eeuwenoude kasteelruïne.'

'Misschien ligt die onder het huis. Of ergens in de tuin.' Heleen dacht na. 'Of... of het familiegraf is een geheime ingang naar een verborgen, ondergrondse schatkamer vol met goud, zilver en edelstenen.' Heleens ogen glommen bij het idee. 'Ja, dat moet het zijn.'

'Nou, kom op,' zei Lot, stoerder dan ze zich voelde. Ze kropen verder naar het landhuis. Tussen het hoge gras waren de speurders en de katten bijna niet te zien. Vanachter een dikke eik zagen ze de junior-archeologen in twee nette rijen staan. Naast hen stonden de vijf grote mannen uit de witte vrachtauto. Ze hadden dezelfde zandkleurige kleren aan als meneer Amant.

'Daar staan Frank en Sanne. Ze kijken niet zo vrolijk als in de bus,' fluisterde Heleen. 'En wie zijn die mannen? Zijn dat de begeleiders?'

'Ik denk het. Maar ze zien er eerder uit als sterke bewakers. De kinderen zijn zeker niet blij,' zei Lot. 'Ik dacht dat zo'n vakantiekamp leuk was?'

Meneer Amant kwam uit het landhuis en begon tegen de kinderen te praten. Heleen en Lot verstonden niet wat hij zei.

'Hij ziet er nerveus uit,' zei Heleen.

Meneer Amant deed een stap opzij en de junior-archeologen liepen stil naar binnen. De vijf bewakers volgden hen. Lot en Heleen zagen dat sommige kinderen hun mobiele telefoon inleverden. Meneer Amant stopte ze in een zak. Toen het laatste kind verdwenen was, keek hij eerst zenuwachtig rond voordat ook hij naar binnen ging.

'We gaan kijken wat daar gebeurt,' zei Heleen. 'Ik wil weten waarom de Subterra's niet blij meer zijn!'

'Ik durf niet zo goed,' zei Lot snel. Heleen keek haar ongeduldig aan. Lot voelde zich stom en fluisterde: 'Ik ga toch wel mee, hoor.'

De meisjes kropen achter de boom vandaan. Op hun tenen slopen ze, omringd door de katten, naar het huis.

De deur stond nog open. Heleen liep voorop. Lot zag dat het binnen net zo vervallen was als aan de buitenkant. In de dikke laag stof op de grond waren de voetstappen van de kinderen en hun bewakers te zien.

'Kijk!' fluisterde Heleen en wees ernaar. 'Ze gingen die kant op. Kom!'

Lot was bang. Het liefst wilde ze Heleens hand vastpakken. Straks worden we ontdekt, dacht ze en ze zag zichzelf al in de gevangenis zitten.

De voetsporen gingen een trap af naar een deur. Daarachter was de keuken, waar koperen pannen aan een rek hingen. Ze werden bij elkaar gehouden door spinnenwebben. Tegenover een groot, smerig fornuis stond een deur op een kier waardoor de voetsporen verdwenen. Mik sloop erheen.

'Mik! Blijf hier!' fluisterde Lot bang. Maar Mik stak zijn kop in de kier, duwde de deur verder open en glipte naar binnen. Bel en Roet volgden hem naar de kelder.

Heleen en Lot moesten de katten achterna. Voorzichtig liepen ze over de trap naar beneden. Een gloeilamp verlichtte een sombere gang. Op de stoffige, stenen vloer waren de voetstappen van de kinderen nog steeds te zien. Aan het einde van de gang was een oude, gammele kelderdeur. Er zat een schuifslot op, maar dat was niet dichtgeschoven. De katten stonden erbij te wachten en snuffelden aan de deur.

'Zullen we gaan kijken?' vroeg Heleen zacht.

Liever niet, dacht Lot, maar Heleen duwde de deur al langzaam open. Aan de stenen muren hingen zoemende, gele lampen. De meisjes zagen de katten dieper de kelder in lopen. Op hun tenen liepen ze in dezelfde richting.

'Hoor je dat ook?' fluisterde Lot.

'Ja,' zei Heleen zacht.

De meisjes zagen de katten een hoek om kijken. Meneer Amants stem klonk nu dichtbij.

46

Ze zagen hem voor de kinderen staan, die allemaal een schep vasthielden. De bewakers vormden een muur achter de groep.

'Daar zijn Frank en Sanne!' fluisterde Lot. Ze stonden vooraan.

'Dit jaar is ons archeologiekamp een beetje anders,' zei meneer Amant. 'De eigenares van dit huis gaat het verbouwen en heeft Subterra speciaal gevraagd om de ondergrondse gang van het huis te onderzoeken. Het is een eeuwenoude gang die de adellijke familie vroeger gebruikte. Wie weet wat we daar allemaal vinden.'

'Dat is niet wat ons beloofd is!' zei Frank.

'Nee, d-dat klopt.' Meneer Amant werd zenuwachtig. 'Maar voor a-archeologen is het werk altijd een ver-ver-rassing, toch? En de b-barones wil graag de bescherm-vrouwe van Subterra en de a-archeologie zijn.'

'Maar dit is niet zo leuk als zoeken naar een oude kasteelruïne!' zei Sanne boos. 'Wij willen die ruïne!'

Meneer Amant wist niet wat te zeggen.

Een van de vijf mannen kwam naast hem staan. 'Niet zeuren en aan het werk!' blafte hij naar de kinderen. Ze schrokken van zijn geschreeuw en hielden meteen hun mond.

Zelfs Lot deed van schrik een stap naar achteren. Per ongeluk trapte ze op de staart van Roet.

'MIAUW!' krijste de kat.

'Wie is daar?' De stem van meneer Amant piepte.

De meisjes renden met de katten snel terug naar de keuken. Achter zich hoorden ze zware voetstappen. Buiten renden ze door het lange gras naar de dichte struiken in de tuin. Toen de bewaker buitenkwam, hadden Lot en Heleen zich al verstopt. Vanonder de

47

struiken loerden ze naar hem. Hij stond even te kijken, haalde zijn schouders op en ging terug het landhuis in.

'Hij denkt vast dat het maar een verdwaalde kat was,' fluisterde Lot. De meisjes stonden op en gingen naar hun fietsen achter de muur.

'Dit klopt niet!' zei Heleen. 'Zo'n vakantiekamp hoort leuk te zijn! Ze worden gedwongen om te graven in een ondergrondse gang door die vijf grote bullebakken!'

Lot en Heleen klommen over de muur en fietsten keihard, zonder om te kijken, terug naar Pension Kat.

Hijgend kwamen ze bij het pension aan. Ze stormden door de hal de trappen op naar de Koningskamer, waar Itto druk bezig was met schoonmaken. Hij boende tot in de kleinste kieren.

'Itto,' zei Lot buiten adem, 'Itto, we hebben...'

Maar Itto kapte haar af. 'Lot, ik heb nu geen tijd. Je ziet toch dat ik mijn uiterste best aan het doen ben om de kamer spik en span te krijgen.' Hij zwaaide druk met zijn rubberen handschoenen vol sop. 'Kijk nou eens naar jullie smerige voeten! Nou heb ik nog meer werk. Ga buiten spelen!' Lot en Heleen stonden met hun mond vol tanden. 'Ga het groene wc-papier maar oprollen,' zei Itto toen iets vriendelijker.

Boos liepen Lot en Heleen naar buiten. Onder de boom naast de bus bleef Lot staan. Ze trapte tegen de stevige stam. 'Stom! Stomme...!'

Lot was woedend. Mik, Roet en Bel gaven haar kopjes en miauwden zacht.

'Mijn ouders zijn soms ook hartstikke stom,' zei Heleen.

'Hij is niet eens mijn vader,' mompelde Lot.

'Maar wel lief, toch?'

'Ja, dat wel,' zei ze zacht.

Ze waren stil.

Even later stonden ze samen in het schuurtje het groene wc-papier op te rollen. Ze liepen ermee naar de kelder. De rollen moesten daar in de voorraadkast worden gezet.

Heleen was de eerste die weer praatte. 'Denk je dat we het aan agent Boethen moeten vertellen? We moeten Frank, Sanne en de andere Subterra's toch helpen? Wij zijn de enigen die weten dat ze daar zijn!'

Voordat Lot antwoord kon geven, hoorden ze een auto met een ronkende motor. De bestuurder drukte een paar keer op de claxon. Samen keken ze over de rand van het openstaande kelderluik. Er stond een glimmende, zwarte sportauto voor Pension Kat.

'Wauw, dat is een Cobra!' fluisterde Heleen. 'Zo een wil mijn vader ook.'

De autodeur zwaaide open. Meteen verscholen Lot en Heleen zich achter het kelderluik.

Felix S. Cats

Uit de auto stapte een deftige dame. Ze was zo mager als een lat. Lot en Heleen gluurden stiekem over de rand.

'Dat is vast barones Ce Triest de Temperdu,' fluisterde Lot. 'Die zou vandaag komen.'

De barones bukte om iets uit haar auto te pakken. Toen ze overeind kwam, droeg ze haar hond op haar arm en een klein tasje. Ze bekeek Pension Kat van boven tot onder. Plotseling keek ze Lot recht in de ogen. Heleen dook net op tijd weg.

'Jij daar,' riep de barones, 'draag mijn koffer naar binnen.' Lot kon niets anders dan haar bevel gehoorzamen. Ze liep naar de barones, met de katten achter zich aan.

'Schiet eens op!' zei de barones. Lot zag achter op de Cobra een grote koffer liggen.

'Ik zal Itto halen,' zei Lot, 'deze koffer kan ik niet tillen.'

De barones zuchtte. Lot liep met een veilige boog om haar heen naar het pension.

Voordat ze bij de deur was, kwam Itto al naar buiten lopen. Tegen Lot zei hij zacht dat hij het wel overnam.

'Barones, welkom in Pension Kat. Aangenaam u te

ontmoeten.' Itto stak zijn hand naar haar uit. Ze nam hem niet aan, maar wees direct naar de koffer.

'Ik wil daar straks geen krassen op ontdekken. En er liggen nog enkele tassen in de kofferbak.'

Met deze woorden liet ze de koffer over aan Itto en ging naar de hal. Lot stond verbaasd te kijken vanaf de veranda.

'Ga je eens nuttig maken,' snauwde de barones tegen haar. Ze draaide zich om naar Itto, die met de zware koffer worstelde. 'Ik kan u aanraden om beter personeel in te huren.' De barones keek op Lot neer.

'Lot is geen personeel, barones,' zei Itto. 'Ze woont bij mij. Ik ben haar voogd.'

'Ach zo,' zei de barones tegen Lot. 'Je ouders wilden je niet meer hebben.'

Ze liep het pension binnen. Geschrokken staarde Lot haar na voordat ze naar Itto liep.

'Ze is gemeen,' fluisterde ze. 'Kun je haar niet weg-sturen?'

Itto suste haar met een zoen op haar hoofd. 'Nee, dat kan nu niet meer. Blijf maar uit haar buurt,' zei hij. 'Wil jij de tassen uit de kofferbak pakken? Wees er wel voor-zichtig mee.'

Lot liep naar de auto. Het liefst wilde ze er een deuk in trappen, maar dan moest Itto vast de reparatie betalen. Op dat moment kwam Heleen uit de kelder gekropen.

'Sorry,' zei ze, 'ik durfde niet. Die barones is zó eng. Ze lijkt de zus van graaf Dracula wel.'

'Ja,' zei Lot giechelend. In de kofferbak van de Cobra lagen folders naast de tassen. Er stonden allemaal foto's van luxe hondenhokken in.

'Het lijken wel hondenhotelkamers,' zei Lot.

'Zeker voor die hond van haar,' zei Heleen. Samen brachten ze de tassen naar Pension Kat.

'Zet de tassen maar in de hal neer,' zei Itto, terwijl hij met moeite de grote koffer naar de Koningskamer droeg. Lot en Heleen gingen naar de keuken en namen een glas sap met een koekje.

Toen Itto weer beneden was, pakte hij de tassen op. 'Lot, zet jij even water op?' vroeg hij. 'De barones verlangt een kopje thee op haar kamer.'

Lot vulde de waterkoker en zette hem aan. 'Pak jij even vier kopjes uit de kast?' vroeg ze aan Heleen, wijzend naar de kast.

Even later bracht Itto het kopje thee met een koekje naar boven. Daarna plofte hij op een houten stoel in de keuken neer. 'Wat een mens,' zei hij zuchtend. 'Heel bijzonder, zal ik maar zeggen.'

'Komt ze weer op het landgoed wonen?' vroeg Lot.

'Niet meteen, eerst gaat ze het laten verbouwen,' vertelde Itto. 'Daarom logeert ze hier, om te controleren of alles goed gaat. En ze kan niet tussen de bouwvakkers gaan wonen.' Itto stopte even.

Lot keek Heleen een seconde aan. Moeten we hem vertellen wat we gezien hebben? dacht ze.

Maar Itto praatte alweer verder: 'Maar of dit nou zo goed is voor Hinterhugel? Mijn grootmoeder vertelde verhalen over de familie Ce Triest de Temperdu, toen die hier de macht had, meer dan honderd jaar geleden.'

'Wat is er dan gebeurd?' vroegen de meisjes. Ze gingen dichterbij zitten, want het klonk heel spannend.

'Nou, de adellijke familie bezat toen alle grond: de weilanden en bossen rond het landgoed en dus ook ons dorpje Hinterhugel. Ze hadden zelfs een ondergrondse gang die van het landhuis naar de kerk liep. Dat was hun privé-ingang naar de kerk, dat was toen heel normaal voor de adel.

Alle inwoners en boeren moesten veel huur en belasting betalen. Schoenlappers moesten voor niks nieuwe schoenen maken. De kleermakers hadden blaren op hun vingers, want de familie eiste elke week schitterende jurken en strakke pakken. De boeren waren verplicht hun beste koeien af te staan, hun vetste varkens en heel veel eieren. Op deze manier werd de familie Ce Triest de Temperdu schatrijk. Al het geld lag in een grote kluis onder het landhuis. De burgemeester had al eens geprotesteerd, maar daar hadden ze om gelachen. Ze trokken zich niets van de kritiek aan en gingen gewoon door.'

Itto nam een slok thee. 'De burgemeester besloot een brief te schrijven naar de regering, om te klagen en hulp te vragen. Het duurde heel lang voordat de burgemeester antwoord kreeg. Maar op een dag stond een jonge advocaat op de stoep van het gemeentehuis. Zijn naam was Felix S. Cats. Hij had een belangrijke brief meegenomen van de regering, waarin stond dat de akelige familie meteen moest stoppen met treiteren en sarren. En dat ze alle grond, weilanden en bossen aan de inwoners en boeren van Hinterhugel moest geven. Alleen het landhuis en het ommuurde landgoed bleven in het bezit van de familie.

De burgemeester was in zijn nopjes. De volgende dag ging hij met de politie en de advocaat naar het landgoed. De inwoners en boeren van Hinterhugel volgden hen massaal, want het goede nieuws was als een lopend vuurtje door het dorpje gegaan.

Helaas had de butler van de familie het ook gehoord. Trouw als hij was, had hij de Ce Triest de Temperdu's onmiddellijk gewaarschuwd. En die hadden toen snel hun koffers gepakt en waren gevlucht naar hun buitenverblijf Koldenborg, in Frostenland.'

'Lag hun geld nog in de kluis?' vroeg Lot.

'Daar had de burgemeester ook aan gedacht. De plaatselijke smid, IJzeren Henkie, kreeg de kluis open, maar er lag niets meer. Die dag vierde Hinterhugel groot feest. En advocaat Cats ging in Hinterhugel wonen en trouwde met zijn liefje uit Groossappel.'

'Hoe weet je dat?' vroeg Lot.

'Hij was mijn overgrootvader,' zei Itto trots. 'Pension Kat was het huis dat hij toen heeft laten bouwen. Mijn familie heeft lang in Hinterhugel gewoond. Ik was de eerste die in Groossappel ging wonen.'

De keukendeur piepte. Geschrokken keken ze op. In de deuropening stond de barones met de pekinees in haar armen.

'Ba-barones,' stamelde Itto, terwijl hij opstond. 'Wat kan ik voor u doen? Wil uw hondje eten? Ik kan wel een blik kattenvoer opentrekken?'

Lot keek naar Itto. Ze vond het raar dat hij zo zenuwachtig deed.

'Nee,' zei de barones kortaf. 'Mijn lieveling Tristan eet alleen maar gehakte biefstuk. Ik ga ervan uit dat het bij de kamerprijs is inbegrepen.'

'Ja, barones.' Itto knikte. 'Ik zal ervoor zorgen.'

'Juist,' zei de barones. 'Dat hoor ik graag.'

'Alstublieft barones, graag gedaan,' zei Itto.

Zonder te bedanken draaide ze zich om en liep terug naar de Koningskamer. Mopperend ruimde

Itto de kopjes op en zette de koekjes terug in de kast.

'Lot, ga naar de slager om twee biefstukken te kopen,' zei hij en hij gooide wat geld voor haar neer op de tafel.

'Moet dat?' vroeg Lot.

'Ja, dat moet!' zei Itto boos en hij verdween naar de kelder.

Biefstuk en eieren

'Kom op,' zei Lot tegen Heleen. Ze fietsten naar Hinterhugel.

'Is Itto altijd zo bang voor zijn gasten?' vroeg Heleen.

'Nee,' zei Lot, 'ik snap ook niet waarom hij zo zenuwachtig was.' En ook niet waarom hij zo boos tegen me
deed, dacht ze erachteraan.

Achter hen kwam de Cobra van de barones ronkend
aangereden en scheerde rakelings langs de meisjes
heen.

'Dat doet ze expres,' zei Heleen, terwijl de auto de
bocht om verdween. De weg ging schuin naar beneden
en ze zoefden langs bomen en struiken en de eerste
huizen van Hinterhugel.

Op de rotonde namen ze de afslag naar de Markthal.
Daar zat ook de slager, die altijd wel een grapje maakte.
Lot kocht twee biefstukken bij hem. Maar ze had nog
geen zin om terug naar huis te gaan.

'Zullen we naar Petulia in De Lachende Big gaan?'

'Eigenlijk...,' begon Heleen twijfelend. 'Zullen we
niet naar agent Boethen op het politiebureau gaan?
We moeten toch iemand vertellen wat we in het

landhuis gezien hebben. Ik ben niet bang voor die barones!'

Lot was bang dat Itto nog bozer zou worden en zei: 'Het kan toch waar zijn wat meneer Amant zei? Dat de barones laat onderzoeken of er belangrijke, oude dingen onder de grond liggen.'

'Maar Frank zei ook dat hun iets anders was beloofd.'

'Misschien is Subterra eigenlijk een opvoedkamp voor vervelende kinderen.' Lot wist meteen dat het niet waar was wat ze zei.

'Misschien... ik ga het toch maar aan haar vertellen,' besloot Heleen een beetje twijfelend.

In het bureau naast de Markthal zaten de twee collega's van Boethen achter hun computers.

'Boethen is haar ronde aan het doen, het zal nog wel even duren voor ze terug is,' zei een agent. 'Kan ik anders helpen?'

'Nee,' zei Heleen, 'er is niets.' Ze ging meteen naar buiten.

Lot liep haar snel achterna. 'Wil je het niet meer vertellen?' vroeg ze. Ze hoopte dat het waar was.

'Nou, misschien heb je wel gelijk,' zei Heleen. 'En mijn ouders worden boos als ik te veel fantaseer en me overal mee bemoei. Daarom!'

Uit een zijstraat kwam de barones in haar Cobra de rotonde opgereden.

'Bukken!' zei Lot tegen Heleen. Ze verstopten zich achter de plantenbak waar hun fietsen tegenaan stonden. De barones parkeerde haar auto bij het gemeentehuis. Ze stapte uit en ging met Tristan op haar arm naar binnen.

'Wat gaat ze daar doen?' vroeg Lot.

'Ze wil vast burgemeester worden,' zei Heleen.

Toen de barones achter de deuren verdwenen was, gingen de meisjes toch even naar De Lachende Big aan de overkant. Petulia was op het terras de tafels aan het dekken met kraakheldere witte tafelkleden.

'Lotje, wat fijn je weer te zien.' Petulia lachte. 'Hoi Heleen, vind je het leuk in Pension Kat?'

'Ja, het is veel spannender dan ik had verwacht.'

Lot keek Heleen aan. Zonder te praten seinde ze met haar ogen naar haar: niks verklappen! Heleen snapte precies wat Lot bedoelde.

'Dat is mooi. Willen jullie een glaasje limonade?' vroeg Petulia. 'Ga maar vast zitten.' Ze liep naar binnen.

'We moeten niks tegen haar zeggen,' fluisterde Lot snel tegen Heleen. 'Ze vertelt het misschien aan Itto.'

Even later kwam Petulia met een dienblad De Lachende Big uit. IJsklontjes rinkelden in de glazen limonade. 'Hoe gaat het in Pension Kat? Zijn er leuke gasten?'

'Hm-hm,' mompelde Lot met een slok in haar mond. 'We hebben twee gasten.' Ze wilde niet zeggen dat de barones een van de gasten was. Heleen keek vanuit haar ooghoeken naar Lot. Ze vond het niet makkelijk haar mond te houden.

Net toen Petulia nog een vraag wilde stellen, kwam er een knetterend brommertje aangereden. Het stopte voor De Lachende Big. Het was de zoon van boer Gaansteren. Hij was ook de bezorger van Petulia's pizza's.

'Pa zegt dat we geen eieren meer kunnen leveren,' zei de jongen.

'Wat! Dat kan niet!' Petulia was totaal van slag.
'Waarom niet?'

'Ze zijn allemaal verkocht,' antwoordde hij. 'Aan een deftige, dunne dame die er veel geld voor wilde betalen. Sorry.' De jongen gaf gas en reed weer weg.

Lot en Heleen keken elkaar aan. Dat moet de barones zijn geweest, dachten ze allebei.

'Wat vervelend,' zei Petulia, 'de eieren van Gaansteren zijn juist zo lekker.'

De meisjes dronken hun glas snel leeg en namen afscheid van Petulia.

Onderweg naar huis probeerden ze te bedenken wat de barones met die eieren zou willen doen, maar zelfs Heleen kon niks verzinnen. Terug in Pension Kat gaf Lot de biefstukken aan Itto. Toen de meisjes weer naar buiten wilden gaan, zei Itto: 'Lot, wacht je even? Ik moet je wat zeggen.' Heleen liep alvast naar buiten. Lot en Itto stonden tegenover elkaar in de keuken.

Itto zei zacht: 'Toen de barones hier in de keuken was, deed ik nogal raar. Helaas ben ik een beetje bang dat ze vertrekt als ze ook maar iets te klagen heeft. En ik kan het geld dat ze betaalt zo goed gebruiken, want ik wil toch een computer gaan kopen. Dat is veel makkelijker voor het inschrijven van gasten. Dat was een goed idee van Heleen. En bovendien kun jij hem goed gebruiken om te e-mailen met je vader en moeder. En omdat ik een beetje bang ben, was ik chagrijnig tegen jou. En dat is niet eerlijk.' Hij keek Lot recht in haar ogen. 'Sorry.' Lot wist niet goed wat ze moest zeggen. Ze gaf hem een knuffel.

Buiten vertelde Lot aan Heleen wat Itto gezegd had.

'Cool, dan kunnen wij straks ook e-mailen,' zei Heleen.

De Cobra van de barones reed de kleine parkeerplaats van Pension Kat op. Het grind knerpte onder de wielen.

Lot en Heleen renden snel naar de kelder. Ze wilden niet te dicht bij de barones in de buurt zijn. Over de rand van het luik gluurden ze stiekem naar haar. De barones stapte uit met haar lieveling Tristan. Uit de kofferbak van de Cobra pakte ze de folders die Lot en Heleen eerder hadden gezien. Terwijl ze naar de voordeur liep, arriveerde ook meneer Amant. De kleine bus paste net naast de Cobra op het parkeerplaatsje. Zijn knieën zaten onder het zwarte, modderige zand. De barones bleef staan en bekeek de man van top tot teen. Zijn wangen werden rood.

'En? Schiet het werk op?' snauwde de barones.

Meneer Amant knikte met zijn rode hoofd. 'Ja barones, maar ze klagen. Ze willen naar huis.'

'Bah, kinderen zeuren altijd,' zei de barones. 'Mijn ouders zeiden dat ook toen ik een kind was.'

'Ja, barones,' zei meneer Amant. 'De machine uit uw chemiefabriek staat klaar aan het einde van de ondergrondse gang. Wanneer worden de goederen gebracht?'

'Binnenkort!' zei ze bits.

De barones draaide zich om en ging Pension Kat binnen. Meneer Amant volgde zwijgzaam.

'Wat voor een machine?' zei Lot. 'En wat moeten de kinderen daar nou mee doen?' Ze snapten er allebei niets van. 'Ze heeft een chemiefabriek. Wat maakt ze daar?'

'We moeten het aan Itto vertellen,' zei Heleen.

'Nee, ben je gek, dan wordt hij alleen maar nog banger voor de barones.'

'Aan Boethen dan?' vroeg Heleen. Lot dacht na.

'We moeten eerst écht zeker weten wat er daar gebeurt. Anders geloven ze ons niet.' Ze stond meteen op. 'We moeten nu naar het landhuis toe.' Met hun fietsen aan de hand kwamen ze Itto tegen.

'Waar gaan jullie heen?'

'We... we gaan gewoon een eindje fietsen,' verzon Lot snel.

'Nee, dat heb ik liever niet,' zei Itto, 'ik ga zo meteen eten koken. Ga maar een spelletje doen in de bus of in de wei. Maakt me niet uit wat, maar blijf wel in de buurt.'

Mokkend gingen ze in de bus zitten met hun armen over elkaar. Roet krulde zich tegen Lot aan. Mik en Bel gingen naar buiten.

'Zij mogen wel weg,' mopperde Lot, terwijl ze de katten nakeek.

Tijdens het eten vertelde Itto dat de barones de volgende morgen geen ontbijt hoefde, omdat ze vroeg naar een afspraak zou gaan.

'Ze blijft de hele dag weg. En meneer Amant is sowieso de hele dag op het archeologiekamp,' zei Itto, 'dus gaan we morgen naar Groossappel om alvast een computer uit te zoeken. Goed idee, hè?'

Lot en Heleen wilden veel liever naar het landhuis gaan om er eindelijk achter te komen wat de Subterra's daar moesten doen. Maar dat geheim durfden ze niet aan Itto te vertellen. Dus knikten ze allebei maar braaf. 'Leuk!'

Onder het afwassen kwamen Mik en Bel binnen.
Ze likten hun snorharen schoon. Door de open deur
hoorden Lot en Heleen de Cobra van de barones weer
ronkend wegrijden, de schemering in.

De achtervolging

Lot en Heleen lagen de volgende ochtend wakker in hun tent.

'Zullen we net doen of we ziek zijn,' zei Heleen. 'Dan hoeven we niet mee.'

'We mogen vast niet alleen thuisblijven van Itto,' antwoordde Lot.

'Nee, dat mag ik ook nooit van mijn ouders. Ze zeggen altijd dat ik te jong ben. Ik laat het huis heus niet ontploffen.' Heleen zuchtte. 'Stom hoor!'

'Wat is stom?'

De meisjes schrokken en zaten plotseling rechtovereind in hun slaapzakken.

Lot ritste de tent open en zag Itto staan met de katten rond zijn voeten.

'Niks!' zei ze met een hoog stemmetje.

'Mooi, kom er dan maar uit. Ik wil over een halfuur naar Groossappel gaan en jullie moeten je nog wassen en ontbijten,' zei Itto. Heleen en Lot kropen hun tent uit. Ze liepen wat sloom naar de kampeerbus.

'Een beetje vlugger, meisjes! Meer tempo,' riep Itto, klappend in zijn handen.

Na het haastige ontbijt kwam de bus trillend tot leven.

'Hebben jullie je gordels om?' vroeg Itto. 'Anders krijg ik een bon van Boethen.' Op de banken van de kleine eethoek klikten de meisjes zich vast.

'Leuk hè?' riep Itto lachend boven de brommende motor uit.

'Ja hoor, heel leuk,' zei Lot afwezig. Heleen staarde naar buiten.

Lot en Heleen verveelden zich in de stad. Ze stonden in een computerwinkel in een overdekte winkelstraat. Lot keek naar Itto die met een verkoper praatte.

Schiet nou o-oop, dacht ze. Achter haar stond Heleen naar buiten te kijken. Lot voelde een por in haar rug.

'Snel, kijk! Daar is ze,' fluisterde Heleen.

'Wie?' vroeg Lot, terwijl ze zich omdraaide. Aan de overkant zagen ze de barones uit een kantoor komen. Met Tristan op haar arm stapte ze stijf de straat uit.

'Wat doet zij hier?' vroeg Lot. 'Waar gaat ze naartoe?'

'Ze was bij een architect,' zei Heleen wijzend naar het pand. 'Dat is vast voor de verbouwing van haar landhuis.'

'We moeten haar volgen!' zei Lot en ze draaide zich om naar Itto. Hij was nog steeds aan het praten.

'Ja,' zei Heleen. 'En vlug ook, anders raken we haar kwijt.' Ze keken allebei naar Itto en zagen dat hij de verkoper een hand gaf. Met een glimlach keek hij naar de meisjes.

'Ben je klaar?' vroeg Lot.

'Ja, ik weet wat ik moet hebben, als ik het geld bij elkaar heb gespaard,' zei Itto.

'Goed.' Lot pakte Itto's hand en trok hem mee naar de uitgang. Heleen liep snel mee.

'Heb je haast?' vroeg Itto. 'Waar wil je naartoe?'

'Gewoon! Naar buiten,' zei Lot. Eenmaal in de winkelstraat keken Lot en Heleen in de richting waarheen de barones was gelopen. Net op tijd zagen ze haar een groot warenhuis binnengaan. Lot liep ernaartoe met Itto aan haar hand. Heleen was hen voorbij gerend en stond al bij de draaideur te wachten.

'Willen jullie daarnaartoe?' vroeg Itto. 'Is daar ook een computerafdeling?'

'Ja,' zei Lot, 'een hele mooie.'

Achter de draaideur zochten ze, tussen de slenterende kopers, naar de barones.

'Daar!' riep Heleen. De barones stond op de roltrap naar boven.

'Wat is daar?' vroeg Itto aan Heleen, terwijl Lot hem meetrok.

'Eh... de roltrap! De roltrap naar de computerafdeling is daar,' zei ze met een neplach. Boven aan de trap zagen ze net op tijd dat de barones naar de tweede verdieping was gegaan.

'De computers zijn boven, op de derde,' zei Lot tegen Itto. 'Wij gaan even hier rondkijken.' De meisjes bleven staan op de tweede.

'Oké,' zei Itto een beetje argwanend. 'Tot straks.'

Lot en Heleen liepen gebukt tussen stapels spullen voor huisdieren door.

'Daar is ze,' fluisterde Heleen. Zich verschuilend achter een bak kauwspeeltjes zagen ze de barones met haar Tristan naar halsbanden kijken. Daarna zocht ze kieskeurig naar een eetbak.

'Haar lieveling Tristan is zeker jarig,' zei Lot.

'Hij krijgt vast een kristallen schaal voor zijn gehakte biefstuk,' zei Heleen grinnikend.

De meisjes kropen dichterbij. De barones bekeek de zachte ligkussens en wenkte een verkoopster. Terwijl ze Tristan aaide, dicteerde de barones haar bestelling aan de vrouw. Lot en Heleen konden de barones maar net verstaan.

'Ik wil vijftig fluwelen ligkussens, hetzelfde aantal koperen waterbakken en vijftig eetbakken van spek-steen.' Haar bestelling werd in een handcomputer gezet. 'En omdat ik zoveel tegelijk bestel, wil ik een fikse korting,' voegde de barones eraan toe.

De verkoopster keek haar aan. 'Ja, mevrouw,' zei ze ten slotte.

'Barones! Spreek me aan met barones.' De winkel-dame keek een beetje verbaasd.

'Ja, barones,' zei ze toch maar. 'Er is een lange lever-tijd. Is dat een probleem?'

'Nee, dat is prima,' zei de barones.

'Waar moet het naartoe gebracht worden?'

De barones gaf haar een kaartje met het adres erop en even later vertrok ze.

'Vijftig waterbakken van koper!' riep Lot. 'Heeft Tris-tan er zoveel nodig?'

'Ik weet niet eens wat speksteen is,' zei Heleen. Ze gingen weer rechtop staan.

'Hé meisjes,' riep Itto, die net van de roltrap afstapte. 'Wat zoeken jullie hier?'

'O, eh... hoi, we zochten... iets voor de katten.' Lot liep langs Itto en keek of ze de barones nog zag.

'Maar we vonden niets leuks,' zei Heleen.

'Heb jij een computer gevonden boven?' vroeg Lot aan Itto.

'Nee, er is niks voor mij bij.'

'Mooi,' zei Lot en snelde zich met Heleen richting de uitgang.

'Hebben jullie nog steeds haast?' vroeg Itto, die de meisjes probeerde bij te houden.

Buiten zagen ze de barones niet meer.

'Shit, we zijn haar kwijt.' Lot en Heleen waren teleurgesteld.

'We kunnen niet eens echt achtervolgen,' zei Heleen.

Itto haalde hen eindelijk in. 'Kom mee, we gaan naar huis,' zei hij. 'De stad doet rare dingen met jullie.' Hij duwde de meisjes naar de bus.

Onderweg naar huis konden Lot en Heleen alleen maar denken aan het mysterie van het landgoed.

Vlak bij de afrit naar Hinterhugel zei Itto: 'Hé, ik heb een goed idee. We gaan vanavond bij Petulia in De Lachende Big eten. Ze kookt zo lekker en vandaag is het een beetje feest.'

Daar waren Lot en Heleen het niet mee eens.

'Deze dag is een grote mislukking,' mompelde Lot.

'Ja, wij zijn speurneuzen Noppes en Nada,' zei Heleen zuchtend.

Itto parkeerde de bus achter De Lachende Big.

'Itto, wat gezellig,' riep Petulia. 'Ik zag je bus al langs-rijden.' Ze zoenden elkaar hartelijk op de wangen.

'Vandaag is er een klein feestje,' zei Itto. 'Dus komen we vanavond bij je eten.'

'Een feestje? Vertel snel!' zei Petulia, en ze nam Itto mee naar een tafel. Terwijl hij vertelde over de computer, dekte Petulia de tafel. Lot en Heleen zaten er stilletjes bij.

'Nou, dat is een heel goed plan van je, Itto,' zei Petulia.

'Dat heb ik eigenlijk aan Heleen te danken,' zei Itto. 'Die zei dat het veel handiger is.'

'Wat kijken jullie zuur,' zei Petulia toen ze naar de meisjes keek. 'Is er wat?'

Ze schrokken wakker uit hun gedachten.

'Eh... nee hoor,' stamelde Lot. 'Gewoon moe, denk ik.' Ze durfde niet naar Itto te kijken.

'Ik heb trouwens ook wat te vieren,' zei Petulia. 'Gisteravond kwam onze burgemeester Herjé hier dineren met een heel deftige dame. Dat bleek de barones Ce Triest de Temperdu van het landgoed te zijn, weet je wel. Ik wist niet dat ze hier in de buurt was.' Ze raakte Itto's schouder even aan.

'Ze huurt de Koningskamer bij mij,' zei Itto.

'Leuk zeg! In ieder geval, ze waren iets zakelijks aan het bespreken. Over een vergunning of zoiets, ik heb het niet helemaal goed gehoord. Ik kan natuurlijk niet gaan afluisteren.'

Dat kun je wel, dacht Lot. Dat moet zelfs!

Lot en Heleen zaten ineens weer op het puntje van hun stoel. Er was nieuws over de barones, ook al was het maar een klein beetje. Deze dag leverde toch nog iets op!

'Wat blijkt, de barones heeft mij ook nodig.' Petulia's gezicht glom van trots. 'Want ze laat haar oude landhuis verbouwen. Ze heeft mij gevraagd om het eten voor haar bouwvakkers te verzorgen. Die mannen blijven daar lang en hebben voedsel nodig. Je weet dat die mannen daar zelf niet aan denken.' Petulia was dolblij. 'Goed hè! Het mag geen hoge kookkunst worden hoor. De barones vindt dat ze genoeg hebben aan broodjes, grote potten pindakaas en frieten. Dan moet ik wel de frituurpan voor ze meenemen.'

'Alleen maar broodjes pindakaas en frieten?' vroeg Itto. 'Dat is toch niet genoeg?'

'Nee, dat zei ik ook tegen haar. Daarom maak ik ook een grote pan groentesoep met worst voor die mannen. Een magnetron erbij en hupsakee, dan is die soep zo opgewarmd.' Petulia was heel tevreden over haar ideeen. 'Daar kunnen ze dan een paar dagen mee vooruit, want het mag natuurlijk niet te veel kosten.' Petulia keek naar Lot en Heleen, die niet meer luisterden omdat ze pindakaas en frieten geen spannend nieuws vonden. 'En jullie kunnen mij helpen,' zei ze tegen de meisjes.

'Hoezo?' vroegen ze.

'Nou, als Itto het goedvindt, dan kunnen jullie mijn assistentes worden. Jullie helpen mij de soep klaar te maken en alles naar het landhuis te brengen.'

Lot en Heleen keken haar met grote ogen aan. Dit was hun kans.

'Ik betaal jullie natuurlijk.' De meisjes keken Itto bijna smekend aan. 'Mag het?' vroeg Lot. 'Alsjeblieft?'

'Ja hoor, lijkt me een goed plan,' zei hij.

'Super!' riep Heleen. 'Dan kunnen we daar...' maar ze hield meteen haar mond dicht.

'Geld verdienen.' Lot maakte de zin van Heleen af.

'Dan kunnen we daarmee geld verdienen.' Heleen had bijna haar mond voorbijgepraat.

'Dat is de eerste keer vandaag dat ik jullie zie lachen,' zei Itto. 'Je verricht wondertjes, Petulia.'

Petulia's wangen kleurden rood en ze straalde.

Die avond genoten de meisjes toch van het eten. Na het chocoladetoetje gingen ze terug naar huis. Vanuit de bus zagen ze de Cobra van de barones op het parkeerplaatsje bij Pension Kat staan.

'We gaan meteen slapen.' Lot deed net of ze ontzettend moest gapen.

Heleen aapte haar snel na. 'Ja, heel erg moe,' zei ze erbij.

'Oké,' zei Itto. 'Eerst tanden poetsen.'

Even later lagen de meisjes in hun slaapzakken, klaarwakker van de spanning.

'Met Petulia komen we het landhuis makkelijk binnen. We hoeven niet stiekem te doen,' zei Lot.

'Ja, dan kunnen we eindelijk zien wat de Subterra's daar moeten doen.' Heleen draaide zich om naar Lot. 'Maar hoe doen we dat zonder dat Petulia iets in de gaten krijgt?'

Die avond bedachten ze een extra plan om zonder Petulia rond te gaan neuzen in het landhuis. Pas heel laat vielen ze in slaap. 's Nachts droomde Lot van een zwarte, blaffende slang die haar eieren bewaakte.

Gravende gijzelaars

De volgende dag was Itto al een tijdje druk bezig in Pension Kat, toen Lot en Heleen nog steeds niet waren opgestaan. 'Gek hè, Roet?' zei hij tegen de hongerige poes. 'Zelfs jij slaapt niet zó lang!'

Itto ging toch maar eens naar de tent in de wei. 'Goedemorgen! Slapen jullie nog steeds?'

'Nee,' zei Lot slaperig. Ze schudde Heleen wakker.

'Wat?' mompelde Heleen. 'Ik slaap nog.'

'Komen jullie ontbijten?' vroeg Itto.

Lot en Heleen kropen hun tent uit en sleepten zich naar de kampeerbus. Itto had de ontbijttafel weer onder de boom naast de bus gezet. Traag aten ze hun brood op, terwijl Itto een vrolijk lied neuriede.

De telefoon ging. 'Met Pension Kat, wat kan ik voor u doen?' zei Itto. 'Hallo Petulia.'

Lot en Heleen probeerden mee te luisteren, maar op dat moment zagen ze de barones naar buiten komen. Ze stapte met Tristan in haar Cobra en reed weg.

'Die rare meneer Amant is ook al weg,' merkte Heleen op. 'Hij is eigenlijk net zo'n schoothondje als Tristan.'

'Oké, ja... ik zal het zeggen. Dag Petulia.' Itto legde de hoorn neer. 'Dames, Petulia vertelde me net dat ze jullie vanmiddag om halfdrie in De Lachende Big verwacht.' Hij stond op. 'Dus vanaf nu is het jullie eigen zaakje. Jullie moeten er zelf voor zorgen op tijd te zijn. Lukt dat?'

'Natuurlijk!' zeiden ze.

'Mooi, willen jullie voor mij even de tafel afruimen?'

Lot pakte zuchtend het dienblad van Itto aan.

'Vandaag lossen we het mysterie van de barones op,' fluisterde Heleen. 'Alleen moeten we wachten tot vanmiddag!'

'Ik vind het toch wel een beetje eng,' zei Lot zacht, 'maar we moeten echt weten wat Frank, Sanne en de andere Subterra's daar moeten doen.'

Na het middageten gingen de meisjes op weg naar De Lachende Big. Ze hadden besloten om te gaan lopen, zodat hun fietsen niet bij Petulia zouden staan.

Dat hadden ze de avond ervoor in hun tent bedacht. Voor de zekerheid namen ze een kleine zaklamp mee. De meisjes namen een kortere weg, dwars door het bos en over het grasland. Anders moesten ze de lange, slingerende weg naar Hinterhugel volgen.

'Daar zijn jullie eindelijk,' zei Petulia. 'Hebben jullie er zin in? Kom maar mee. Alles ligt klaar.'

In de keuken van De Lachende Big zagen ze een grote berg groenten liggen. Van Petulia kregen ze allebei een schort.

'Zo, deze groenten moeten allemaal gesneden worden met de snijmachine,' zei Petulia. 'Daarna kieper je ze in de pan.' Daarin borrelde en stoomde een heerlijk ruikende bouillon. 'Ik ga de worst bakken.'

Lot en Heleen wasten de groenten en de snijmachine sneed alles ratelend en veilig in kleine stukken.

Toen de soep klaar en genoeg afgekoeld was, schepten ze hem in plastic bakjes, die ze met een deksel dichtmaakten.

'Klaar! Nu gaan we naar onze gasten.'

'Denk je dat ons plan zal lukken?' fluisterde Heleen tegen Lot, toen ze de zakken broodjes en friet naar de auto sjouwden.

'Het moet!' zei Lot.

De auto van Petulia ging kuchend op weg naar het landgoed. Vlak bij de poort zagen Lot en Heleen meneer Amant wegrijden. Petulia reed de oprijlaan op, die vol scheuren en gaten zat.

'De boel mag hier zeker verbouwd worden,' zei ze. 'Nietwaar, meisjes?' Lot en Heleen waren te nerveus om antwoord te geven.

De auto werd tegengehouden door een van de bewakers. Petulia stopte naast hem en draaide het raampje open. 'Hallo!' zei ze met een glimlach. 'Ik ben Petulia. Waar is de keuken? Ik kom heerlijke soep brengen.' De man zweeg en keek vragend naar Lot en Heleen op de achterbank. 'Dat zijn mijn assistentes.'

'Rij maar door naar de zijkant. Daar is de personeelsingang naar de keuken,' zei de man. Petulia en haar assistentes reden hobbelend verder, de bewaker liep erachteraan.

'Gelukkig zitten op de soepbakjes goede deksels, meisjes. Anders liep alles in de soep!' Petulia moest hard lachen om haar eigen grap.

De deur van de personeelsingang stond open en een

trap erachter kwam beneden uit in de keuken, die de bewakers slecht schoongemaakt hadden. Lot zag de andere deur waardoor ze tijdens hun eerdere speurtocht binnen waren gekomen. De deur naar de kelder was deze keer dicht. Lot en Heleen wilden daar het liefst meteen een kijkje nemen, maar ze moesten hun kans afwachten.

'Zet hier maar neer,' zei de man nors tegen Petulia. Hij stak zelf geen vinger uit en liet de meisjes de kratjes met de soepbakjes, broodjes en diepgevroren friet alleen naar binnen dragen. Petulia, die nu niet meer zo vrolijk was, bracht de frituurpan en de magnetron naar binnen. Lot en Heleen kwamen met de potten pindakaas erachteraan. De andere vier mannen stonden nu ook in de keuken, ze waren door die andere deur gekomen. Lot en Heleen vonden ze eng, maar lieten het niet merken. Hun plan om via de keuken naar de kelder te gaan was nu onmogelijk. De mannen waren bezig de soepbakjes in een oude koelkast te zetten.

'Waar is het stopcontact?' vroeg Petulia zo vriendelijk mogelijk.

'Dat doen we zelf wel,' zei de man.

'O, oké. Zoals u wenst,' zei Petulia. 'Kom meisjes, we gaan.' Ze ging met Lot en Heleen naar buiten toe. 'Lieve help, wat een vervelende man. Ik ben blij dat we daar weg zijn.' Petulia stapte in haar auto. Met zijn drieën reden ze door de poort de weg op.

Na een minuut keek Heleen naar Lot.

'Petulia,' zei Lot. 'We willen graag teruglopen naar Pension Kat.'

'Lopen?' zei Petulia verbaasd, en ze stopte. 'Ik weet niet of Itto dat wel goedvindt.'

'Ja hoor,' zei Lot, 'we hebben het vanmorgen gevraagd en hij vond het goed. We kennen een korte weg binnendoor. Zo ver is het niet. Dus het mocht van hem. Echt waar.'

Petulia fronste haar wenkbrauwen.

'Dan kun jij snel naar je eetcafé,' zei Heleen. 'Er staan vast gasten te wachten bij De Lachende Big voor je lekkere eten.'

'Het is dat ik mijn mobieltje vergeten ben, anders belde ik Itto op.' Petulia zuchtte. 'Maar goed, ga maar. Ik ben doodmoe van de hele dag en straks komen er inderdaad mensen eten.'

De meisjes stapten uit, Petulia draaide haar auto om en reed zwaaiend weg. Lot en Heleen liepen verder, maar zodra de auto niet meer te zien was, maakten ze meteen rechtsomkeert.

Lot en Heleen liepen gebukt door het hoge gras naar het oude landhuis.

'Zouden de kinderen nog in de kelder zitten?' vroeg Heleen.

'Ik denk het niet,' zei Lot. 'Al die mannen stonden in de keuken. Ze zullen de Subterra's vast wel ergens in het huis opgesloten hebben.'

Ze slopen verder, schuilend achter de bomen en de struiken.

Plotseling hoorden ze een knetterend geluid achter zich. De meisjes doken snel weg in het hoge gras. Lot en Heleen keken voorzichtig naar waar het vandaan kwam. Een brommer met een vierkante kist achterop reed over de oprijlaan naar het huis.

'Hé, dat is die jongen die we bij De Lachende Big hebben gezien! Weet je wel, de zoon van boer Gaansteren,' fluisterde Heleen.

De man die de auto van Petulia had tegengehouden, hield ook de jongen aan. Hij stapte van zijn brommer af en haalde uit de kist een paar dozen. De man nam ze aan van de jongen, die meteen weer op zijn brommer stapte en snel wegreed.

'Wat zou er in die dozen zitten?' vroeg Lot.

'Daar zitten vast de eieren in die de barones heeft gekocht,' zei Heleen.

'Ze hebben toch al groentesoep met worst?'

Ze slopen verder toen de bewaker de keuken in was gegaan. Aan de andere kant van het huis vonden Lot en Heleen een boom. Hij stond dicht bij het huis en had veel stevige zijtakken, die vlak bij de ramen op de eerste verdieping kwamen.

'Kijk!' riep Heleen enthousiast. 'Als we in deze boom klimmen, dan kunnen we makkelijk door een raam naar binnen.'

'Als we de luiken open krijgen,' zei Lot.

Maar Heleen zat al in de boom. 'Dat lukt me wel,' zei ze. Ze hield zich vast aan de stam. Met een hand en een voet duwde ze het luik open. De scharnieren piepten en Lot en Heleen hielden hun adem in. Een paar seconden, die veel langer leken te duren, wachtten ze angstig af. Maar ze hoorden niets, de bewakers hadden het niet gehoord.

'Het raam is open,' fluisterde Heleen. Ze klauterde naar binnen en klikte haar zaklamp aan.

Lot stond nog onder aan de boom. 'Heleen?' Lot hoorde haar niet meer. Ze besloot ook in de boom te klimmen. Toen ze bijna bij het raam was, kwam Heleens hoofd ineens naar buiten. Van schrik viel Lot bijna uit de boom.

'Die mannen slapen in deze kamer,' zei Heleen zacht. 'Hier hebben ze ook een beetje schoongemaakt.' Ze hielp Lot naar binnen te klimmen. Tussen de slaap-matten met gebloemde slaapzakken liepen ze naar de enige deur van de kamer. De vloer kraakte en kreunde onder hun voeten. De deur kwam uit op een grote overloop. Het stof dat er lag, kleurde het tapijt grijs en er liep een brede trap naar boven. Overal hingen gordij-nen van dikke, stoffige spinnenwebben.

'We moeten naar boven,' fluisterde Heleen.

'Hoe weet je dat?' Lot was bang dat de bewakers van-uit de schaduw naar hen stonden te loeren.

'Daar zijn de kinderen. Kijk maar naar al die sporen op het tapijt.'

Lot en Heleen stapten voorzichtig op de treden van de trap, die gelukkig niet al te hard kraakten. Boven aan de trap hielden ze even stil.

'Hoor je dat ook?' vroeg Lot.

'Ja, wat is dat, denk je?'

'Volgens mij zijn dat de stemmen van de Subterra's. Ze moeten hier ergens zijn.'

'Kijk, de voetsporen gaan ook verder.' Heleen scheen met de zaklamp op de grond. 'Kom op!'

Op de tweede verdieping waren enkele deuren en de sporen liepen er naar één. Daarachter hoorden ze praten en het schuifelen van voeten.

'Hallo?' vroeg Lot. 'Frank? Sanne? Zijn jullie daar?'

Ineens werd het doodstil.

'Hallo? Wie is daar?' klonk de stem van Frank. 'Je klinkt bekend! Ben jij het, Lot?'

'Ja, en Heleen is er ook,' antwoordde ze.

Heleen probeerde of de deur open was.

'Laat maar, die is op slot.' Frank klonk somber. 'Zijn jullie alleen?'

'Ja,' zei Lot. Ze dacht: hadden we het Boethen toch maar verteld.

Frank zei: 'Meneer Amant heeft tegen ons gelogen. Dit is helemaal geen archeologiekamp. Er is helemaal geen eeuwenoude kasteelruïne.'

'Wat moeten jullie doen?' vroeg Lot.

'We werden eerst naar een hoek van de kelder gebracht. Toen werden we gedwongen door een heel lange, stenen, ondergrondse gang te lopen. Aan het einde daarvan moesten we allemaal een smalle zijgang graven. Zogenaamd om archeologische spullen te zoeken,' vertelde hij. 'Maar we hebben nog niets gevonden en de gangen zijn nog niet lang genoeg volgens meneer Amant.'

'Waar zijn die zijgangen voor?' vroeg Heleen.

'Dat weten we niet,' zei Frank. 'En ik denk meneer Amant ook niet.'

'Toen zei hij maar dat het nog geheim is,' klonk ineens de stem van Sanne, 'maar het is er alleen maar koud.'

Er werd nog iets gemompeld door een ander kind.

'Wat zei je?' Lot en Heleen gingen dichter bij de deur staan.

'Er staat ook een rare machine aan het einde van de gang.'

'De machine,' zei Lot tegen Heleen. 'Daar zei meneer Amant iets over tegen de barones.'

'Wat doet die dan?' vroeg Heleen.

'Ik weet het niet, we mochten er niet aankomen. Maar ik heb nog nooit zoiets gezien. Hij zat in de vrachtauto van die bewakers,' zei Frank.

'Er zit gifgroen, slijmerig spul in,' zei Sanne. 'Het borrelt en sist. Ik denk dat je iets in de machine moet stoppen,' zei ze, 'want er zitten openingen in.'

Het was even stil.

'Jullie moeten de politie waarschuwen. Die kan ons wel redden,' zei Frank.

'Ja,' riepen een paar kinderen tegelijkertijd.

'We gaan meteen. Wij kennen iemand bij de politie,' zei Heleen.

'Vlug alsjeblieft, we willen naar huis!' riep Sanne.

'We komen snel terug,' beloofde Lot.

De meisjes liepen naar de trap, maar Heleen, die voorop liep, bleef ineens stokstijf staan.

'O nee,' zei ze. Lot zag het ook. Onder aan de trap stonden de vijf bewakers met de zakken broodjes en potten pindakaas. Ze keken verbaasd naar Lot en Heleen.

'Jullie!' riep de man die Petulia's auto tegen had gehouden. 'Wat doen jullie hier nog?'

Nog geen seconde later lagen de broodjes en de potten op de grond. De mannen stormden naar boven als een kudde op hol geslagen bizons. Zo snel als ze konden, renden Lot en Heleen weg. Maar geen enkele deur die ze opentrokken, leidde naar beneden. Het waren allemaal gewone kamers. Ook de laatste kamer bood geen uitweg. Toen ze die binnenrenden, dwarrelde het stof van de vloer omhoog. Een paar duiven vlogen geschrokken door een kapot raam naar buiten.

'Heleen!' riep Lot in paniek. 'Wat moeten we nu?'

'Tegen hun schenen trappen,' zei Heleen meteen toen de eerste man de kamer in kwam. Ze gooide haar zaklamp naar hem toe. Met een harde klap kwam die tegen de deur.

Lot en Heleen vochten als twee katten, maar de mannen waren veel te groot en sterk.

'Laat me los!' gilde Lot. Heleen spartelde uit alle macht tegen. Ze stompte met haar vuisten, maar de man leek wel van beton. Het had geen zin.

Twee mannen zeulden Lot en Heleen naar de kamer waarin de Subterra's opgesloten zaten.

Lot probeerde zich los te worstelen.

'Stop daarmee!' snauwde de man.

Een andere bewaker opende de deur en de meisjes werden naar binnen gegooid. Frank en Sanne hielpen hen overeind.

'Hier zal de barones van horen!' riep de man. Hij draaide het slot van de deur knarsend dicht.

'Nee!' riep Lot en trok aan de deurklink. 'Laat ons eruit!'

Maar de bewakers luisterden niet naar haar. Ze waren met elkaar aan het praten.

'Itto weet niet dat we hier zijn,' zei Lot bang.

'Hij zal Petulia straks wel bellen als we niet thuiskomen. Dan vertelt ze vast dat we hier waren, toen ze vertrok,' zei Heleen troostend.

'Ze denkt dat we naar huis gelopen zijn,' zei Lot.

Heleen wist het nu ook niet zeker meer en begon om zich heen te kijken. Achter haar stonden Frank, Sanne en de andere kinderen moedeloos naar Lot en Heleen te kijken.

Alle kinderen waren smerig, ze zaten onder het zwarte zand. Niemand wist iets te zeggen. Ze zaten gevangen en konden er niet uit.

Achter de deur hoorden ze een bewaker praten, hij was aan het bellen. Lot en Heleen probeerden te horen wat hij zei.

'Hij belt vast die barones,' fluisterde Frank die ook meeluisterde.

Er werd een sleutel in het slot gedraaid en de deur ging open. Drie mannen gooiden de zakken broodjes naar binnen en schoven de potten pindakaas de kamer in.

'Ja, barones,' zei de man met de mobiel aan zijn oor. 'Twee meisjes, ze waren bij die Petulia. En ik heb ze al eerder gezien bij dat pension, toen Amant daarbinnen een kamer ging huren.' Vlak voordat de deur weer dichtging, hoorde ze hem nog zeggen: 'Ja barones, dat zullen we doen. In het huis zal geen enkel kind te vinden zijn.'

Alle kinderen in de kamer doken op het eten af, ze waren uitgehongerd.

'Jullie moeten ook wat eten,' zei Sanne. 'Ze geven ons niet zoveel.'

Maar Lot en Heleen hadden geen honger. Ze wilden alleen maar naar huis.

Bij Pension Kat zat Itto in zijn bus een boek te lezen. Hij legde het neer, gaapte en rekte zich uit.

'Miauw!' Roet streek met haar vacht langs zijn been.

'Heb je alles al op?' vroeg Itto. Hij had Roet net haar eten gegeven. 'Ik heb geen zin in opruimen, Roet. Het was vandaag een vermoeiende dag.' De zwarte poes sprong op de bank en kroop tegen hem aan. 'Mis je Lot en Heleen?' Itto gaapte nog een keer. 'Ze komen straks wel, ze eten vast eerst iets bij Petulia, Roetje. Maak je maar geen zorgen, er is niks aan de hand.' Nadat Itto een bord soep had gegeten, ging hij languit op de bank liggen met zijn boek. Het duurde niet lang voordat hij in een diepe slaap viel.

Later die avond werden Lot, Heleen en de Subterra's uit de kamer gehaald.

'Opstaan! Pak jullie slaapzak! Jullie krijgen een mooie, nieuwe slaapkamer.' De bewaker lachte gemeen. 'En dat allemaal dankzij jullie vriendinnetjes hier.' Hij wees naar Lot en Heleen.

'Dat is niet hun schuld!' zei Frank.

'Dat is de schuld van de barones!' zei Sanne.

'Hou je mond!' riep de man.

Tussen de mannen in liepen ze naar buiten. In de tuin was een bewaker de vier tenten aan het opruimen en hij gooide ze in de witte vrachtauto.

Als de tenten weg zijn, is hier niets bijzonders meer te zien als de politie komt. Als ze ooit komen, dacht Lot.

Ze kwamen bij hun nieuwe gevangenis aan: het familiegraf, dat ver achter in de tuin verborgen lag. Het ijzeren hek ging achter hen op slot. Alle kinderen waren doodstil. Ze gingen op hun slaapzakken zitten. Alles was van marmer. In het huis was er tenminste nog een oud tapijt dat een beetje zacht was. Boven in de hoeken zaten grote spinnen vanuit hun web naar de kinderen te loeren.

Heleen keek rond.

'Wat zoek je?' vroeg Lot die dicht bij Heleen stond.

Ze vond het nog steeds eng dat daar grafkisten stonden.

'Een weg hieruit,' zei Heleen, 'maar die is er niet.
We zitten vast.'

'Weet iemand dat jullie hier zijn?' vroeg Frank.

Lot schudde ongelukkig haar hoofd.

Iets na middernacht schrok Itto wakker. Roet schoof
van zijn buik en plofte op de bank tussen Mik en Bel,
die daar waren gaan liggen.

'Lot? Heleen?' vroeg hij slaperig en hij keek naar de
klok. Hij werd ongerust. 'Ze zullen wel in hun tent
liggen slapen, Roetje.' Itto probeerde vooral zichzelf gerust
te stellen. Toch ging hij met een zaklamp naar de wei.
Voorzichtig ritste hij de tent open. Maar de slaapzakken
bleven leeg, hoe vaak Itto ook met zijn ogen knipperde.
Onmiddellijk rende hij terug naar de bus en belde Petulia,
die net De Lachende Big aan het afsluiten was. Maar ze
wist alleen te vertellen dat de meisjes naar Pension Kat
waren gelopen en dat Itto dat goed had gevonden.

'Heleens ouders,' zei Itto tegen de drie katten die
om hem heen zaten. 'Misschien zijn ze daar naartoe
gegaan.'

De vader van Heleen nam op, met slaap in zijn stem.
'Nee, de meisjes zijn niet hier,' zei hij ineens klaarwakker. 'Wat is er gebeurd?'

'Ik werd wakker en zag dat ze niet zijn thuisgekomen,'
zei Itto en hij vertelde dat ze Petulia geholpen hadden
en daarna naar huis wilden lopen.

'Dat was vast een idee van Heleen, altijd op zoek
naar avontuur,' zei Heleens vader. 'Misschien zijn ze

terug naar het landhuis gegaan. Echt iets voor onze dochter.'

'Nee, daar zijn ze al eens geweest,' zei Itto. 'Bovendien zijn daar bouwvakkers, die zouden hen allang weggestuurd hebben.'

'Heb je de politie al gebeld?' vroeg de vader.

'Nog niet!' zei Itto.

'Ik ga het nu direct doen!' zei Heleens vader.

'Ik ga ze zoeken met mijn bus,' zei Itto. 'Misschien zijn ze in een greppel gevallen en gewond.'

'Goed plan,' zei Heleens vader. 'We houden contact!'

Itto startte meteen zijn bus. Met felle koplampen reed hij door de donkere nacht, maar hoe goed hij ook tuurde en zocht, Lot en Heleen vond hij nergens.

Een helse machine

Een bewaker maakte de kinderen de volgende ochtend vroeg wakker, op bevel van de barones.

'Opstaan! Jullie moeten aan het werk. Opschieten!'

Lot en Heleen hadden slecht geslapen. Frank had hun zijn slaapzak gegeven, waaronder ze samen hadden gelegen, maar de vloer was hard en koud.

Lot zag bij het hek de andere bewakers staan.

'Neem jullie slaapzakken mee. Kom op!' riep een van de mannen. 'Vlugger!'

De kinderen liepen gapend naar buiten. Ze moesten hun slaapzakken in de witte vrachtauto bij de tenten en de rugzakken gooien.

'Wat gaan ze met ons doen?' vroeg Lot aan Heleen.

'Stil jij!' riep een bewaker.

Ze werden door de keuken naar de kelder van het landhuis gebracht. Achter de gammele, oude kelderdeur met het schuifslot verlichtten de gele, zoemende lampen een tafel. Daarop waren de broodjes en potten pindakaas neergezet.

'Eerst eten!' snauwde een man. Lot, Heleen en de Subterra's aten zwijgend hun broodjes.

Lot stootte Heleen aan.

'Wat?' mompelde die met volle mond.

'Kijk, daar zijn ze,' fluisterde Lot. Ze zagen de barones en meneer Amant de hoek om komen. Ze waren druk in gesprek. Tristan lag in de armen van zijn bazin. De wangen van meneer Amant waren vuurrood.

'De kinderen moeten sneller werken,' zei de barones. 'Het moet vandaag af!'

Ze liep langs de tafel en wees met haar vinger naar Lot en Heleen.

'Uiteindelijk komen ze die twee bemoeials hier tóch zoeken,' zei de barones. 'En als de politie ze hier vindt, dan valt mijn perfecte plan in duigen. Daarom moet het vandaag af!'

'Maar wat gebeurt er daarna? Wat gaat er met de kinderen gebeuren?' vroeg meneer Amant nerveus.

'Laat dat maar aan mij over,' wuifde de barones de vraag weg. 'Ik heb daar al een oplossing voor. De kinderen gaan een interessant reisje maken.'

'Wat gaat u met ons doen?' riep Sanne boos.

'Hou je mond!' blafte een bewaker.

De barones draaide zich om en vertrok door de kelderdeur naar de bovengelegen keuken. Een van de bewakers ging meteen voor de gammele deur staan.

Nadat de barones vertrokken was, kwam meneer Amant naar de tafel. Er zaten zweetdruppeltjes op zijn voorhoofd, die hij met een geruite zakdoek afveegde.

'De barones wil dat jullie vandaag iets harder werken. Oké?' Meneer Amant slikte, alsof hij zich erg ongemakkelijk voelde. 'Nou, dan gaan we maar aan de slag, hè? De heren zullen jullie weer naar de werkplek brengen.'

'Daar hebben we geen zin in!' zei Frank en hij nam een hap uit een broodje.

Een van de bewakers duwde meneer Amant ongeduldig opzij. 'Slik die boterham door en ga in de rij staan. Opschieten!' schreeuwde hij. De kinderen gingen snel keurig klaarstaan. Lot en Heleen stonden achteraan.

'Voorwaarts mars!' riep de man. De Subterra's en de meisjes liepen tussen de bewakers in de lange gang in. Meneer Amant volgde op een afstand. Het enige wat er te zien was, waren de gele, zoemende lampen aan de bruine, stenen muren. De kale gang ging maar door: rechte, lange stukken met af en toe een trap naar beneden. Ze gingen steeds dieper onder de grond. Het leek eindeloos lang te duren.

Toen het leek alsof ze voor eeuwig in de schemerige gang zouden lopen, zagen ze dat de kinderen één voor één een kleine zijgang in kropen.

Dat zijn de gangen die ze moesten graven, dacht Lot. Steeds meer kinderen verdwenen door de gaten in de muur. En een vreemd geluid kwam steeds dichterbij. De laatste kinderen kropen hun gangen in. Alleen Lot en Heleen bleven over. Ze stonden voor een machine. Het gevaarte stond aan het einde van de gang. In de muur erachter zagen ze een dichtgemetselde deur. Boven op het metalen monster zat een deksel van dik glas vol waterdruppels. Daaronder dreef het gifgroene goedje. Het borrelde en siste, precies zoals de kinderen hadden verteld. Onderin pufte en bromde een kleine motor, waardoor het ding af en toe schuddend tot leven kwam.

'Wat een raar gedrocht,' zei Lot.

'Een helse machine is het,' zei Heleen.

Meneer Amant kwam bij de meisjes staan. 'De barones gunt jullie een heel speciale taak,' zei hij. 'Deze eieren hier,' en hij wees naar de dozen naast de machine, 'moeten een voor een in deze opening van de machine gestopt worden.' Hij liep om hen heen naar de andere kant van de machine. 'En hier komen ze er dan weer uit. Jullie leggen ze héél voorzichtig in dit kastje, daar worden ze warm gehouden.'

'En als ik daar geen zin in heb?' zei Heleen stoer.

'Sst,' fluisterde meneer Amant zenuwachtig. 'Doe nou maar wat ik vraag. De bewakers staan hier niet voor niets. Je hebt gezien hoe ze zijn. Ga nou maar aan de slag. Dan mogen jullie straks vast naar huis.'

Lot en Heleen geloofden hem niet, maar deden toch maar wat hij had gevraagd. Heleen bracht het eerste ei naar de opening. Het leek wel een stofzuigerslang. Het ei werd naar binnen gezogen en rolde over een rubberen loopbandje tot het in een zuignap vast kwam te zitten.

'Gatsie, wat eng!' zei Lot. 'Moet je kijken!'

Een grote naald doorboorde het ei. Die spoot het gifgroene, borrelende en sissende spul langzaam naar binnen. Een robotarmpje kwam naar beneden. Het hield een zwart, rubberen dopje met een kleine antenne vast. Dat werd in het gaatje gestopt dat door de naald was gemaakt.

'Wat is dat nou?' vroeg Heleen.

'Hé, jullie daar. Niet praten, doorwerken!' riep een bewaker.

Vlug gingen de meisjes aan de slag. Lot droeg het ei, dat uit de machine kwam, naar het kastje om het warm te houden. Het ei voelde vies aan. Lot wilde er iets van zeggen, maar besloot haar mond dicht te houden, anders zou de man weer tegen haar gaan schreeuwen.

Ze waren al een hele tijd bezig de machine met de eieren te vullen, toen Heleen het laatste ei erin stopte. Ze keek voorzichtig om zich heen naar de bewakers, maar waagde het toch.

'We moeten ontsnappen,' fluisterde ze snel tegen Lot.

'Ja, maar hoe dan?' zei Lot zacht.

Het laatste ei kwam uit de machine en Lot legde het in het warme kastje.

'Laat dat maar aan mij over,' mompelde Heleen.

De ontsnapping

'We zijn klaar,' zei Heleen tegen de bewaker die bij hen in de buurt stond.

'Blijf daar staan,' zei de man met een dikke vinger naar hen wijzend. 'Meneer Amant! Ze zijn klaar!' riep hij.

'Mooi! Dat is goed.' Meneer Amant vroeg hem om de andere kinderen terug te roepen en liep naar de machine.

'Iedereen eruit! Naar voren komen. Snel!' riep de bewaker, lopend langs de smalle zijgangen. De kinderen kwamen tevoorschijn. Ze waren nog viezer geworden.

Meneer Amant wreef nerveus in zijn handen. 'Kinderen, de barones zal heel b-blij zijn dat jullie zo hard hebben gewerkt. Er is nog één ding dat jullie moeten doen en dan zijn jullie klaar.'

'Mogen we dan naar huis?' vroeg Frank.

'Da-daar heeft de ba-barones alles voor ge-geregeld.' Meneer Amant stotterde zijn woorden bij elkaar. 'Zo meteen k-krijgen jullie van deze meisjes twee s-speciale eieren. Wees er echt heel voorzichtig m-mee!' Hij

95

pauzeerde even en slikte een brok in zijn keel weg.
'Als je gang diep genoeg is, breng je de e-eieren naar
het einde ervan en leg je ze daar neer. Dan komen
jullie weer h-hierheen.' Meneer Amant liep terug naar
zijn plek. Hij versperde de lange gang terug naar het
landhuis. 'Jullie kunnen beginnen met ui-uitdelen.' Hij
wees naar Lot en Heleen. Het kastje met de eieren
stond op wieltjes. Ineens kreeg Heleen een idee.

'Ik heb een plan,' mompelde ze naar Lot.

Ze duwden het eierkastje vooruit en gaven elk kind
twee eieren.

Heleen fluisterde snel tegen iedereen: 'We gaan
ontsnappen! Politie halen! Help ons, maak straks veel
herrie!'

Toen bijna alle eieren waren uitgedeeld, was het tijd
voor Heleens plan.

Ze fluisterde tegen Lot: 'Let op! De laatste eieren
gooien we naar meneer Amant.'

'Oké.'

'Nú!' Ze gooiden de twee eieren naar meneer Amant.

'Nee! Niet doen!' riep hij geschrokken. Hij probeerde
de eieren te vangen en lette niet op Lot en Heleen.
Ze renden zo snel als ze konden langs hem heen, de
lange gang in. De Subterra's begonnen te schreeuwen
en sprongen op hun bewakers af. De mannen waren
zo verrast door de actie dat ze even niet wisten wat ze
moesten doen. De kinderen sprongen op hun ruggen en
grepen hun enkels vast. De mannen liepen te wankelen
en vielen bijna om.

'Hou vol!' riep Frank naar de Subterra's.

'Ze moeten ontsnappen!' riep Sanne.

Lot en Heleen renden door de lange gang. Achter zich hoorden ze herrie en geschreeuw van de Subterra's. Eindelijk zagen ze de ontbijttafel. Ze trokken de gammele kelderdeur open en stormden naar boven.

'Wacht!' riep Heleen. Ze liep terug, trok de kelderdeur dicht en schoof het schuifslot dicht.

Lot en Heleen renden naar buiten, waar het felle zonlicht hen even verblindde. De zon stond bijna boven aan de hemel. Vlakbij stond de witte vrachtauto, waarin de tenten en de rugzakken van de kinderen op een grote hoop lagen.

'Hierheen!' riep Heleen. 'We nemen de kortste weg!'

Heleen en Lot zwoegden tussen de dichte struiken door naar de muur. Achter zich hoorden ze een paar bewakers naar buiten komen. Ze hadden zich losgeworsteld van de Subterra's en de gesloten, gammele deur met brute kracht opengebroken.

De twee mannen schreeuwden naar elkaar, maar ze zagen niet hoe Lot en Heleen haastig over de muur klommen. Ze renden dwars door de bossen heen naar het dorpje beneden in het dal.

Heleen en Lot dachten dat ze zo veel sneller bij het politiebureau zouden zijn, maar het duurde net zo lang als over de slingerende wegen. Tussen de bomen stonden lastige struiken en soms lagen er omgevallen bomen waar ze onhandig overheen moesten klimmen.

Buiten adem kwamen Lot en Heleen bij het politiebureau aan.

Gelukkig was agent Boethen binnen. Ze was een kop koffie aan het drinken, terwijl ze foto's van de meisjes op de site van vermiste personen zette.

'Agent Boethen!' riep Lot.

'Waar waren jullie?' riep Boethen. 'We waren dood-ongerust! Itto heeft de halve nacht naar jullie gezocht!'

'We zaten gevangen. En de kinderen van Subterra ook!' zei Heleen.

'Gevangen? Subterra?' vroeg agent Boethen. 'Waar?'

'In het landhuis van de barones die bij ons in Pension Kat logeert. Zij moeten daar gangen graven in de kelder. En wij moesten vieze eieren maken.' Lot vergat bijna adem te halen, zoveel was er te vertellen.

'Wacht even,' zei Boethen en ze vroeg een van haar twee collega's om Itto en Heleens ouders te bellen.

'Ga verder. Wat is Subterra?' vroeg ze. 'Vertel wat er gebeurd is, rustig en van voren af aan.'

De meisjes vertelden alles over het landhuis en de kinderen die ze daar hadden gezien.

'En die meneer Amant, zit die ook in het complot?' vroeg Boethen ten slotte.

'Weet ik niet, eigenlijk lijkt het alsof hij bang is voor de barones en daarom doet alsof,' zei Lot. De collega's legden de telefoon neer en Boethen stuurde hen onmiddellijk naar Pension Kat om de barones te arresteren.

Itto was dolblij met het nieuws over Lot en Heleen. Hij liet alles uit zijn handen vallen en reed meteen met zijn bus naar het politiebureau. Maar in het pension was er daarna veel rumoer. De barones had boven aan de trap gestaan en het gesprek afgeluisterd. Ze wist maar al te goed dat Lot en Heleen ontsnapt waren, want kort daarvoor was ze al gebeld door een bewaker. De barones had bevolen dat ze de kinderen van Subterra moesten dwingen door te werken. Het werk moest vandaag af. Haar plan moest lukken.

Ze pakte haar tassen en koffer in en ging er met haar Cobra vandoor. Op de vlucht uit Hinterhugel, net als mijn voorouders, dacht ze. Dat maakte haar woedend en haar wraakzucht nog giftiger.

Itto en Heleens ouders kwamen tegelijkertijd bij het politiebureau aan. Ze knuffelden de meisjes bijna fijn.

'We hebben gisteravond de hele omgeving afgezocht,' zei Itto een beetje boos. 'Ik had Petulia gebeld, maar die wist alleen maar dat jullie naar huis waren gegaan gelopen en dat ik dat goedvond!'

'Wat is er gebeurd?' vroeg Heleens moeder.

Lot en Heleen vertelden in het kort wat ze meegemaakt hadden in het landhuis.

'Jullie hadden nooit in je eentje op onderzoek uit mogen gaan!' zei Itto tegen Lot. 'Zoiets is veel te gevaarlijk!'

'Ja, je ziet wat ervan komt Heleen,' zei Heleens moeder, 'als je te veel avontuur wilt.'

'Het is niet Heleens schuld!' riep Lot. 'Ik wilde zelf ook. Die kinderen...'

'Je had het ook aan mij of aan agent Boethen kunnen vertellen,' zei Itto streng. 'Dit zijn zaken voor de politie.'

'Ja, dat weet ik wel,' zei Lot, 'maar je was al bang voor de barones. Ik dacht dat jullie ons anders niet zouden geloven.'

Ondertussen had Boethen met het hoofdkantoor in Groossappel gebeld. Toen ze de telefoon neerlegde, zei ze: 'Hoofdcommissaris Blok komt met het Speciale Arrestatieteam in helikopters hiernaartoe. Ze zullen snel hier zijn. De kinderen moeten vanmiddag nog gered worden.'

Het Speciale Arrestatieteam

'Waarom gaan jij en je collega's de Subterra's niet helpen?' vroeg Lot aan Boethen.

'Lot!' zei Itto verontwaardigd. 'Bemoei je er niet mee!'

'Nee, dat is prima,' zei Boethen. 'Het is goed dat ze het vraagt. Voor zo'n reddingsactie moet eerst een goed plan bedacht worden om controle op de situatie te houden. Het belangrijkste is dat de kinderen niet in gevaar komen tijdens zo'n reddingsactie. Die barones en haar vijf mannen zijn tenslotte geen kattenpis. Daarom komt hoofdcommissaris Blok met het Speciale Arrestatieteam hierheen.'

'Wij willen ook helpen!' zei Heleen.

'Dat snap ik. Daarom wil ik jullie vragen om in de buurt te blijven,' zei Boethen. 'Hoofdcommissaris Blok wil jullie vast nog het een en ander vragen.'

Lot en Heleen gingen met Itto en Heleens ouders naar Petulia om daar te wachten. Vanuit De Lachende Big zagen ze Boethens collega's terugkomen en twee helikopters achter het politiebureau landen. Even later liep burgemeester Herjé ook naar het bureau. Vanwege de helikopters stonden alle Hinterhugelaren op de rotonde te kijken. Ze waren nieuwsgierig geworden. Nog nooit eerder was in Hinterhugel zoiets spannends gebeurd.

'Mogen we er al naartoe?' vroeg Lot.

'Nee, we wachten tot ze ons vragen om te komen,' zei Itto.

Lot zuchtte ongeduldig. Het duurde haar veel te lang voordat er iets gebeurde.

In het eetcafé ging de telefoon en Petulia nam op. 'Met De Lachende Big, wat kan ik voor u doen?' Ze luisterde even. 'O, hallo Boethen,' zei ze. 'Ja... ja, ik zal het zeggen. Ze komen eraan. Dag.'

Lot en Heleen stonden al bij de deur toen Petulia zei: 'Hoofdcommissaris Blok wil de meisjes spreken.'

Met zijn vijven gingen ze naar het politiebureau.

Het bureau was vol met de agenten van het Speciale Arrestatieteam. Ze droegen zwarte helmen en ze hadden walkietalkies bij zich. Burgemeester Herjé liep er als een vreemde eend tussen. Boethen voelde zich helemaal thuis tussen de agenten, ze wilde ook een Speciaal Agent worden. Ze zag Lot en Heleen binnenkomen en liep op hen af.

'Kom maar mee,' zei ze, 'dan zal ik jullie naar de hoofdcommissaris brengen.' Tegen Itto vertelde ze dat de barones niet in Pension Kat was aangetroffen. 'Ze heeft vast een telefoontje gekregen en is gevlucht. Er is al een arrestatiebevel rondgestuurd, want misschien vlucht ze naar het buitenland.'

'Zijn dat de meisjes over wie je mij vertelde, Boethen?' vroeg een man met grijze haren.

'Ja, hoofdcommissaris Blok. Dit zijn Lot en Heleen,' antwoordde ze.

'Welkom, dames. Boethen heeft me al veel verteld, maar jullie weten vast nog meer over de barones en de kinderen van Subterra,' zei Blok. 'Ik wil vooral alles weten over het huis. Dan kunnen we een plattegrond voor het Speciale Arrestatieteam maken.'

'Dat is niet nodig,' zei burgemeester Herjé. 'In het gemeentehuis ligt nog een plattegrond van het land-huis. Ik ga hem meteen halen.'

'De barones is iets van plan met de Subterra's. Ze worden ergens naartoe gebracht,' zei Lot.

'Er stond een witte vrachtauto in de tuin en de tenten en de slaapzakken van Subterra lagen erin,' vertelde Heleen.

'Misschien,' zei Boethen, 'worden de kinderen in de vrachtwagen vervoerd.'

'Ja, waarschijnlijk. Maar waarnaartoe?' vroeg Blok.

Lot en Heleen vertelden over de helse machine en de vieze eieren die eruit kwamen.

'Waarvoor heeft ze die eieren nodig?' mompelde Blok.

Burgemeester Herjé kwam binnen met de heel oude plattegrond van het landgoed.

Tijdens het uitvouwen zei hij: 'De barones heeft trou-wens een vergunning aangevraagd.'

'Waarvoor?' vroeg Blok.

'Om haar landhuis te verbouwen tot een luxe honden-hotel,' zei Herjé.

Lot en Heleen zagen de hoofdcommissaris nadenken. Hij bestudeerde de vergeelde plattegrond.

'Wat is dit?' vroeg Blok aan Herjé en hij wees naar de

stippellijn die van het landhuis naar de kerk van Hinter-hugel liep.

'Dat is een ondergrondse gang,' antwoordde Herjé. 'Vroeger werd die door de familie Ce Triest de Temper-du gebruikt als privé-ingang naar de kerk. Hij loopt onder het kerkhof door.'

'Dat is natuurlijk hun lange gang waarin Frank, Sanne en de Subterra's de zijgangen moesten graven,' riep Heleen uit.

'Lag die onder het kerkhof?! Gatsie!' Lot rilde.

'Waar staat de kerk?' vroeg Blok aan de burgemeester.

'Vlak bij het eetcafé De Lachende Big, aan de over-kant van de rotonde. Schuin erachter, de heuvel op.'

'Is de privé-ingang nog steeds open?' wilde de hoofd-commissaris weten.

'Nee, die is al lang geleden dichtgemetseld,' zei Herjé.

'Volgens mij hebben we nu genoeg informatie voor ons reddingsplan,' zei Blok en hij bedankte Lot en Heleen. 'Het was heel belangrijk wat jullie verteld hebben. Daar hebben we veel aan.'

'Gaan jullie nu de barones arresteren?' vroeg Lot.

'We zijn naar haar op zoek,' zei Blok. 'Nu gaan wij eerst een goed reddingsplan maken.'

Dat duurt veel te lang, dacht Lot. Straks zijn de Sub-terra's allang weg.

Met de bus van Itto gingen de meisjes naar Pension Kat. Heleens ouders reden met hun auto achter hen aan om Heleens tent op te halen.

'Ik wil nog niet naar huis,' zei Heleen tegen haar ouders toen ze bij Pension Kat waren.

'Heleen, je gaat toch gewoon mee naar huis,' zei haar moeder.

Maar ik zou eigenlijk nog een paar dagen langer bij Lot logeren!' smeekte Heleen. 'Alsjeblieft?'

Haar ouders zuchtten. Ze snapten wel dat Heleen bij Lot wilde blijven.

'Wat denken jullie van het volgende,' zei Itto. 'Ik zet een lekkere pot thee, terwijl Lot en Heleen de tent afbreken. Dan kunnen we daarna samen in alle rust vieren dat alles weer goed is gekomen.'

Alles is helemaal niet goed, dacht Lot.

'Die barones, ben je niet bang voor haar?' vroeg Heleens moeder aan Itto. 'Dat ze wraak neemt of zoiets?'

'Nee!' zei Itto resoluut. 'Niet meer, ik laat me niet meer bang maken door haar. Niet na wat ze Lot en Heleen heeft aangedaan. Mijn overgrootvader Felix Cats was niet bang en ik ook niet!'

Terwijl de ouders van Heleen met Itto in de keuken zaten te praten, gingen Lot en Heleen naar de wei.
De katten liepen hen achterna.

'Miauw! Miauw!' Mik, Roet en Bel hadden de meisjes gemist.

'Mijn ouders en Itto doen net of alles in orde is!' zei Heleen.

'Ja, dat snap ik ook niet,' zei Lot. 'En die politie is ook al zo traag. Ze kunnen toch gewoon het landhuis bestormen? Ze zijn met veel meer dan de vijf mannen van de barones!'

'Misschien weten ze het wel beter,' zei Heleen.

In stilte braken ze de tent af. De drie katten kregen

geen aandacht van de meisjes en liepen naar de kampeerbus terug.

'We moeten toch wat doen. Dat hebben we Frank en Sanne beloofd!' zei Lot. 'Het is al een paar uur geleden dat we Boethen vertelden over de Subterra's!'

'Wat dan?' vroeg Heleen. 'Die bewakers zijn veel te sterk voor ons.'

'Wij zijn veel slimmer,' beweerde Lot.

'Maar wat kunnen wij nou doen?' vroeg Heleen.

'We gaan ze tegenhouden, totdat de politie er is,' stelde Lot voor.

'Hoe dan?' vroeg Heleen.

'In het schuurtje ligt een stevig touw,' zei Lot. 'Daar kunnen we wel wat mee.'

'Vind jij het niet eng dan?'

'Jawel,' gaf Lot toe. 'Maar we móéten iets doen.'

In het schuurtje vonden ze het touw en op hun tenen slopen ze naar hun fietsen, die bij de bus stonden. De drie katten zaten alweer in het krat op Lots fiets.

'Zij gaan mee,' fluisterde Lot tegen Heleen. 'Een extra paar klauwen kunnen we wel gebruiken.'

De meisjes fietsten stiekem naar het landgoed, het veilige Pension Kat achter zich latend.

Een ontploffend kerkhof

Hoog boven Lot en Heleen stond de barones op de hoogste heuveltop rond Hinterhugel. Meneer Amant had vanuit het landhuis gebeld dat de kinderen eindelijk klaar waren met het werk. Ze keek samen met Tristan neer op het dorpje in het dal.

'Kijk, Tristan. Straks is dat allemaal van jou,' zei de barones.

Op het schermpje van haar mobiel was een codenummer te zien. Met een dunne vinger drukte ze op het groene knopje.

'Hier is je verrassing, Hinterhugel!' zei ze vals.

Een seconde later waren onder de grond van het kerkhof zachte, ploffende geluiden te horen.

Op het politiebureau was het reddingsplan inmiddels klaar. Boethen had ook een speciaal uniform aangetrokken, want ze mocht mee met de mannen van het Speciale Arrestatieteam. Die zaten al te wachten in de helikopters, die warm stonden te draaien achter het bureau. Het geluid was oorverdovend. Alle Hinterhugelaren stonden nog steeds te wachten op de rotonde, want ze wilden ze zien vliegen.

Net op het moment dat Blok en Boethen naar de helikopters toe wilden gaan, kwam Petulia het bureau binnengestrompeld. Ze zag groen van misselijkheid en had knikkende knieën.

'Wat is er met je aan de hand?' vroeg Boethen.

'Gifgroene dampen, ze krui-kruipen langzaam uit het kerkhof ons d-dorp in. Ie-iedereen wordt er mis-misselijk van.' Petulia had moeite om de woorden uit te spreken. 'De mensen zijn bang. Z-ze vluchten de heuvels op, maar de oudere m-mensen zijn niet zo snel,' riep Petulia. 'H-help ons!'

'Maar de kinderen...' Boethen keek naar de hoofdcommissaris.

'Eerst de Hinterhugelaren,' zei Blok. 'Dit is een noodtoestand!'

De gifgroene dampen begonnen onder de deur van het politiebureau door te sijpelen. Hoofdcommissaris Blok liep snel naar de helikopters. Op de parkeerplaats zagen de Speciaal Agenten de dampen ook al dichterbij kruipen.

Blok riep: 'Attentie mannen! Er is een noodtoestand! Dampen overmeesteren het dorp. Breng eerst de oudere inwoners onmiddellijk naar een hoge heuveltop! Daarna meteen naar het landgoed om de kinderen te redden!'

Tussen de struiken op het landgoed lagen Lot en Heleen. De katten lagen naast hen mee te loeren en hielden het landhuis in de gaten.

'Daar komen de Subterra's naar buiten,' fluisterde Lot.

Tussen de bewakers in werden ze naar de witte vrachtauto gebracht en gedwongen achterin te stappen. Enkele kinderen stribbelden tegen.

Toen het laatste kind in de wagen zat, werd de klep van de vrachtauto op slot gedraaid met een sleutel. De mannen gingen fluitend terug het landhuis in en begonnen met de verbouwing. Ze zetten hun radio keihard aan.

'Kijk, daar heb je meneer Amant, het schoothondje,' zei Heleen zacht. Hij liep naar het portier van de vrachtauto en opende het met de sleutel die hij van de bewaker had gekregen.

'Waar blijft het Speciale Arrestatieteam?' zei Lot.

'Ja, ze moeten wel opschieten. Straks zijn de kinderen weg,' zei Heleen. 'Wat gaan we doen?'

'We gaan Amant vangen,' zei Lot. 'Met ons touw.'

De meisjes pakten allebei een uiteinde van het touw en slopen dichterbij.

Meneer Amant pakte zijn mobiel, zocht een nummer en drukte een toets in.

'Barones, de k-kinderen zitten in de vrachtauto. Waar moeten ze naartoe?' vroeg hij. Amant luisterde. 'Wat? Ma-maar... uw chemiefabriek? Dat kán toch niet, barones.' Hij zag bleek van schrik. 'Barones? Barones?' riep hij. Ze had opgehangen, want ze wilde geen gezeur horen. Hij gooide verdrietig zijn mobiel weg. Meneer Amant zakte teleurgesteld op de grond en ging tegen een boom zitten. Hij verborg zijn gezicht in zijn trillende handen.

Heleen gebaarde naar Lot en ze slopen dichterbij. Na drie tellen sprongen ze als tijgers met het touw op meneer Amant af. Ze draaiden om hem en de boom heen met het touw in hun handen.

111

Meneer Amant, verborgen achter zijn handen, had hen niet zien aankomen. Hij stribbelde nauwelijks tegen. Lot en Heleen knoopten het touw vast. Mik, Roet en Bel zaten in zijn nek en op zijn schoot en hielden hem in bedwang.

'Laat me alsjeblieft los!' riep hij.

'Ik denk er niet aan! Waar worden de kinderen naar-toe gebracht?' vroeg Lot.

'Nee, dat durf ik echt niet te zeggen,' riep meneer Amant. 'Het is te erg!'

'Waarom helpt u die vervelende barones dan?' vroeg Heleen.

'Ik-ik ben...' zei hij. 'Ik kan haar niets weigeren!'

'Wat bedoelt u?'

'Ik ben verliefd op haar!' fluisterde hij zacht. 'Ze heeft me in haar macht!'

'Verliefd op haar?' riep Lot. 'Gatsie! Hoe kan dat nou?'

'Omdat ik van oud hou. Ik ben een archeoloog en hou van oud,' zei meneer Amant met een zucht. 'En zij is zo'n stokoud schepsel.'

Lot en Heleen keken elkaar aan. Ze snapten er hele-maal niets van.

'Help! Laat ons eruit!' riepen de kinderen in de vracht-auto en bonsden op de metalen deur. Ze hadden de stemmen van de meisjes herkend.

Meneer Amant zei: 'De sleutel zit in mijn borstzak. Bevrijd de kinderen alsjeblieft!'

Heleen pakte de sleutels en opende de klep van de vrachtauto. De kinderen sprongen naar buiten.

'Is de politie er al?' vroeg Frank.

'Er komt een Speciaal Arrestatieteam in helikopters

aan,' zei Heleen. Frank keek omhoog, maar er was niks te zien.

'We werden gedwongen door te graven, nadat jullie ontsnapt waren,' zei Sanne. 'De eieren moesten we aan het einde van onze gangen leggen.'

'Die gangen lopen tot onder het kerkhof van Hinterhugel,' vertelde Lot.

Sanne en Frank trokken een vies gezicht.

'Misschien moeten jullie je verstoppen,' zei Heleen, terwijl ze naar het landhuis keek vanwaaruit keiharde muziek klonk.

'Echt niet!' zei Frank. 'We hebben lang genoeg gevangen gezeten.'

'Ja, we gaan ons niet meer verstoppen,' zei Sanne.

Plotseling ging er een telefoon over.

'Mijn mobiel,' zei meneer Amant.

Lot zag het mobieltje in het gras liggen. Op het schermpje stond: barones. Lot pakte het mobieltje en drukte op het knopje.

'Ben je al onderweg met die kinderen?' snauwde de barones. Op de achtergrond hoorde Lot dat ze in haar Cobra reed. 'Nou, geef antwoord! Mijn chemiefabriek in Frostenland heeft die kinderen hard nodig.'

Ineens snapte Lot wat de barones met de kinderen van plan was.

'Dat mag niet! Kinderarbeid mag helemaal niet!' riep Lot woedend.

'Wie is dit?' vroeg de barones verbaasd.

'Mijn naam is Lot! Van Pension Kat!'

'Jij vervelende bemoeial!' riep de barones. 'Wacht maar tot...' Lot drukte het mobieltje uit en gooide het weg. Vanuit haar Cobra belde de barones onmiddellijk de vijf werkende mannen in het landhuis, maar door de harde muziek hoorden ze hun mobiel niet overgaan.

'Kinderen in haar chemiefabriek laten werken. Dat kan echt niet!' zei meneer Amant beschaamd.

'Dat gifgroene spul uit de helse machine komt uit haar fabriek. Ik weet het zeker!' riep Heleen.

De kinderen van Subterra kropen bij elkaar, geschrokken van het akelige plan van de barones.

'Waar blijft de politie?' vroeg Sanne ongerust. De Subterra's keken allemaal naar boven. Maar behalve wat wolken bleef de blauwe lucht leeg.

De barones in het nauw

In de verte hoorden ze een auto over de oprijlaan snel dichterbij komen.

Dat geluid ken ik, dacht Lot. 'Dat is de Cobra van de barones! Ze komt hierheen!'

De Cobra scheurde langs het huis de achtertuin in. De barones slipte een paar keer over het gras en botste tegen een grote boom. Woedend stapte ze uit haar verwoeste Cobra en liep stijf naar de vrachtauto. Tristan dribbelde achter haar aan en keek bang uit zijn ogen.

'Ga terug in die vrachtauto!' schreeuwde de barones naar de kinderen.

'Nee!' riepen die allemaal tegelijk.

'Nee!' riep Frank. 'We werken niet meer voor je!'

'Hier niet en ook niet in die vieze fabriek van je!' zei Sanne.

De barones werd woedend. De chemiefabriek was de trots van haar familie.

'Beledig me niet!' beet de barones Sanne toe.

Haar plan dreigde te mislukken en ze kon het niet uitstaan als ze de controle verloor. Het moest precies gaan zoals zij dat wilde. Ze keek om naar het landhuis,

116

de muziek stond nog steeds keihard. Nijdig ging de barones naar binnen om de bewakers te halen. De muziek hield meteen op en de mannen kwamen naar buiten gerend. De barones kwam met een glimlach achter hen aan. Ze was ervan overtuigd dat alles weer zou gaan volgens haar plan. Tristan liep onrustig achter haar aan.

'Verstop je!' riep Frank tegen de andere Subterra's.

'Laat je niet pakken!' riep Sanne.

De Subterra's renden alle kanten uit.

Lot en Heleen renden met de katten naar de struiken, maar Lot struikelde over een boomwortel. Een scherpe pijn schoot door haar been.

'Au!' riep ze. 'Mijn enkel is verstuikt!'

Heleen hielp Lot overeind en samen strompelden ze zo snel als ze konden naar de muur.

Maar een van de bewakers haalde ze in en trok en duwde ze terug naar de vrachtauto. Hij dwong de meisjes naar binnen, boven op de tenten en rugzakken.
Hij smeet de klep dicht, draaide hem op slot en gaf de autosleutel aan de barones. Vanonder de struiken keken Mik, Roet en Bel naar de barones en haar Tristan. De katten slopen in de richting van de vrachtauto en het open portier.

Lot en Heleen bonsden op de metalen klep. 'Laat ons eruit!' riepen ze.

De barones glimlachte en pakte haar lieveling Tristan op. 'Fijn hè, Tristan?' zei de barones. 'Die twee lastpakken zitten weer vast.' Maar Tristan leek het niet meer zo fijn te vinden.

Enkele Subterra's waren alweer gepakt en werden naar de vrachtauto getrokken. Binnen in de vrachtauto hoorden Lot en Heleen een raar, hard geluid. Het waren de twee zwarte helikopters die over het dak van het landhuis kwamen aanvliegen.

'Hier! We zitten hier!' riepen ze allebei, ook al kon de politie hen niet horen.

De barones raakte in paniek. Haar plan was nu helemaal in duizend stukken gevallen. Ze liep snel met Tristan naar het open portier van de vrachtauto. De barones sprong achter het stuur en startte de motor. Tristan lag rillend op de passagiersstoel naast haar.

'Mij krijgen jullie niet!' siste de barones tussen haar tanden door. Ze trapte het gaspedaal diep in en racete naar de oprijlaan, de bewakers en meneer Amant achterlatend. De barones scheurde door de poort de weg op. Achterin, tussen de tenten en rugzakken, werden Lot en Heleen door elkaar geschud.

In een van de helikopters zat agent Boethen naast de piloot. Ze genoot ervan om voor even Speciaal Agent te zijn. 'Blijf die auto volgen! Raak haar niet kwijt!' riep ze. 'We moeten haar te pakken krijgen!'

De helikopter keerde om en begon de vrachtauto te volgen.

De barones vloog met hoge snelheid over de kronkelige wegen. Met piepende banden nam ze de scherpe bochten die tussen de bomen door slingerden. 'Nooit! Jullie krijgen me nooit!' riep ze.

Tristan viel jankend van de stoel en probeerde eronder te kruipen. Maar die plek was al bezet door Mik, Roet en Bel. Hij begon te piepen, maar zijn bazin had geen tijd voor hem.

De helikopter bleef stug de auto volgen vanuit de

lucht. De barones reed bijna van de weg af, doordat een bocht te scherp was. Slippend en scheldend kwam ze weer op de weg terug en reed het bos uit. Nu was de vrachtauto voor agent Boethen en de piloot veel beter te zien.

Lot en Heleen waren doodsbang. Ze werden van de ene kant van de laadruimte naar de andere gesmeten. De drie katten kwamen met hun scherpe klauwen vanonder de stoel gekropen.

De barones scheurde door bochten, sloeg links- en rechtsaf zonder na te denken. Ze hoopte zo de helikopter af te schudden, maar door al die bochten was ze de weg kwijtgeraakt.

Vanuit haar ooghoeken zag ze plotseling drie katten op zich afspringen. 'Tristan!' riep ze. 'Help me!'

Met één hand sturend en met de andere de katten van zich afslaand, sloeg ze op goed geluk een weg in.

Vlak voor haar neus stond ineens Itto's bus dwars op de weg. Hij en Heleens ouders waren net op zoek gegaan naar Lot en Heleen, toen ze ontdekten dat de meisjes weer weg waren. De barones trapte de rem tot op de bodem in. De piepende banden lieten pikzwarte strepen achter op de weg. Lot en Heleen botsten tegen de wand van de cabine aan. De helikopter daalde onmiddellijk tot vlak achter de vrachtauto. Boethen en het Speciale Arrestatieteam abseilden langs touwen vanuit de helikopter naar beneden. De woedende barones werd direct uit de vrachtauto getrokken en meteen in de boeien geslagen.

Uit de bus kwamen Itto en Heleens ouders gesprongen.

'Waar zijn Lot en Heleen?' riep Itto naar de barones.

119

De barones hield koppig haar mond stijf dicht.

'Itto!' riep Lot. 'We zitten hier.' Ze bonsden op de metalen wand.

Itto en de ouders van Heleen renden naar de achterkant van de vrachtauto. Agent Boethen pakte de sleutel uit het contact en opende de klep. De meisjes kropen bont en blauw naar buiten.

De volwassenen drukten de meisjes tegen zich aan, waardoor ze nog meer pijn hadden. Mik, Roet en Bel draaiden miauwend rondjes om hun voeten.

'De barones wilde de kinderen laten werken in haar chemiefabriek in Frostenland,' zei Heleen.

'Kinderarbeid!' zei Boethen. 'Wat ontzettend laf!'

'De Subterra's!' zei Lot. 'Itto, de kinderen zijn nog op het landgoed. We moeten ze helpen.'

Itto keek naar agent Boethen. Ze wilde net iets gaan zeggen toen haar walkietalkie kraakte. Er klonk een stem uit.

'Boethen?' De agent drukte op een knop.

'Boethen hier, hoofdcommissaris Blok,' antwoordde ze.

'Het landhuis is veilig. Iedereen is gevangengezet,' zei Blok. 'Hebben jullie de barones gepakt?'

'Ja, de barones zit in de boeien,' zei Boethen met een glimlach.

'Perfect! Breng haar naar het landgoed.'

'Meteen, hoofdcommissaris.'

Boethen keek weer naar Itto. 'Ik heb wel een idee hoe je de kinderen kunt helpen.'

'Hoe dan?' vroeg hij.

'Door hun tenten in je wei te zetten.' Ze wees naar de vrachtauto. 'Dan kunnen ze daar vanavond slapen.'

121

'Wat een goed plan,' zei Heleens moeder. 'Wij zullen de tenten opzetten, Itto.' En ze trok Heleens vader erbij. 'Dan kan Itto de kinderen met zijn bus ophalen.'

'En we blijven logeren om je met al die drukte te helpen,' zei haar vader en hij knipoogde naar zijn dochter.

'Ja! Cool!' riep Heleen.

'Eerst ga ik Petulia bellen. De kinderen moeten ook eten,' zei Itto. 'Ze heeft vast wel iets in de vriezer liggen.'

'Dat zal niet gaan,' zei Boethen. 'Er is een noodtoestand in Hinterhugel.'

'Wat?' riepen Lot en Heleen. 'Hoezo?'

Boethen vertelde over de gifgroene dampen die uit het kerkhof waren gesijpeld en die het dorpje onbegaanbaar hadden gemaakt.

'De inwoners zijn gered. De meesten konden wel de heuvels oprennen, maar de oudere mensen hebben we met de helikopters veilig naar een hoge heuvel in de buurt gebracht. De dampen blijven alleen wel in het dal hangen. Dus kun je niet naar ons dorp toe,' zei Boethen.

'Gelukkig ligt Pension Kat hoger dan Hinterhugel,' zei Itto.

Even later vloog de helikopter met Boethen en de barones terug naar het landhuis, waar de hoofdcommissaris wachtte. Lot en Heleen gingen met Itto mee in de bus om de Subterra's op te halen.

'Met Petulia hebben we zakken bevroren friet en een frituurpan in de keuken van het landhuis gezet,' zei Lot tegen Itto.

'Ja,' zei Heleen. 'Er liggen vast nog wat zakken in het vriesvak van de koelkast.'

'Dat is een goed idee, meisjes,' zei Itto.

Op het landgoed namen de meisjes Itto mee naar hoofdcommissaris Blok.

'We komen de kinderen halen,' zei Lot, 'want ze komen logeren bij ons in de wei van Pension Kat.'

'Boethen heeft me alles verteld,' zei Blok. 'Het is een prachtige oplossing.'

'Wat gaat er met de Hinterhugelaren gebeuren?' vroeg Itto.

'We brengen straks alle bewoners van de heuvel naar het landgoed. Ze moeten hier overnachten. We gaan grote legertenten halen in Groossappel, de tuin is er groot genoeg voor. Zo hebben we een betere controle op de noodtoestand. Bovendien zijn de vijf bewakers en meneer Amant gearresteerd,' zei Blok.

'Waar is de barones?' vroeg Heleen.

'Die hebben we opgesloten, samen met haar handlangers,' zei de hoofdcommissaris.

'Waar dan?' vroeg Lot. 'Het politiebureau ligt toch nog in die giftige dampen?'

'Dat klopt,' zei Blok, 'die cellen kunnen we niet gebruiken. Daarom hebben we ze in het familiegraf gestopt. Er zit een stevig hek voor. Ze komen er echt niet uit.'

'De eieren!' riep Heleen plotseling. 'Ik weet wat het zijn!'

'Wat dan?' vroeg de hoofdcommissaris.

'Stinkbommen!' zei ze. 'De eieren moesten we vullen met een gifgroen goedje en dat kwam uit de chemiefabriek van de barones! En er zat ook een kleine antenne aan. De Subterra's moesten ze aan het einde van hun gangen stoppen, die onder het kerkhof lagen. De barones heeft ze vast laten ontploffen!'

'Dat kan toch niet, Heleen!' Itto lachte. 'Je ouders vertelden al dat je veel fantasie hebt.'

Hoofdcommissaris Blok dacht er anders over. 'Volgens mij klopt het wel!' zei hij. 'Ik denk dat Heleen gelijk heeft!'

Heleen glimlachte van oor tot oor.

'Zie je wel, Itto. Ze heeft gelijk!' zei Lot. 'Dat is helemaal niet stom!'

'Maar waarvoor had ze die stinkbommen nodig?' zei Blok. 'Dat is ook een belangrijke vraag.'

'Kom!' zei Lot. 'We gaan het haar vragen.'

'Stop! Kleine, ongeduldige speurder. De barones gaan we morgen ondervragen,' zei Blok. 'Eerst moeten de Hinterhugelaren bij elkaar gebracht worden. De barones kan toch nergens heen.'

'Mogen we bij het verhoor zijn?' vroegen de meisjes. Blok keek even naar Itto.

'Ja, dat mag,' zei Blok. 'Omdat jullie ons zo goed geholpen hebben. Maar wel op een afstand blijven. Je mag je er niet mee bemoeien.'

Voordat de kinderen van Subterra naar Pension Kat gingen, werden hun namen opgeschreven. De politie belde al hun ouders op, zodat de kinderen de volgende dag konden worden opgehaald.

Blok zei: 'Het is beter de kinderen eerst te laten uitrusten in een vertrouwde omgeving.'

Aan het eind van de middag reed Itto met zijn bus vol lachende en juichende kinderen naar Pension Kat. In de wei stonden de vier tenten al klaar. Zelfs Heleens tent stond weer overeind. Heleens ouders hadden lampionnen in de fruitbomen gehangen.

In de badkamers van het pension, in de kleine douche van de kampeerbus en onder de tuinslang wasten de kinderen het zwarte zand weg. In de wei werd onder de lampionnen een grote picknick gehouden met versgebakken friet. Itto en Heleens ouders aten liever de soep met worst, die ze ook in de keuken van het landhuis hadden gevonden.

'We vonden nog een verrassing,' zeiden de ouders van Heleen.

'Wat voor een?' vroeg Itto. In het schuurtje lieten ze het hem en de meisjes zien.

'Tristan!' riepen Lot en Heleen. Er zat een zielig hoopje hond in een hoek. Lot pakte hem op en aaide de arme pekinees.

'Mogen we hem houden, Itto?'

'Nee, we hebben al drie huisdieren,' zei hij. 'Maar ik weet wel iemand die blij met hem zal zijn.'

Het duurde nog lang voor het stil was in Pension Kat en alle kinderen sliepen.

De bekentenis van de boze barones

De volgende ochtend kwam Boethen bij Pension Kat aan. Ze had de kleine bus van Amant geleend.

'Goedemorgen!' riep de agent toen ze binnenliep. Ze ging naar de keuken, maar daar was niemand. Buiten hoorde ze lachende kinderen. Via de ontbijtkamer liep ze naar de wei. Er stond een flinke bries. Tussen het gras zaten ze allemaal te ontbijten. De zwaluwen vlogen af en aan om insecten te vangen. Voor Roet was het ook een feest, want ze kreeg van bijna iedereen wel een hapje te eten.

'Goedemorgen!' riep Boethen nog een keer.

'Hallo!' zei Itto. 'Wil je een kop thee?'

Boethen kwam erbij zitten. 'We hebben gisteravond alle Hinterhugelaren met de helikopters van de heuveltop gehaald en naar het landgoed gebracht. Een van de helikopters is daarna meteen naar Groossappel gevlogen om slaapzakken en grote tenten te halen. Ze hebben allemaal in de tuin geslapen.'

'En de dampen, hangen die nog steeds in het dal?' vroeg Itto.

'Ze zijn bijna weg. Vanochtend vroeg is het al flink

gaan waaien en volgens het weerbericht gaat het straks nog harder waaien. Dan zal het snel schoon zijn,' zei Boethen. 'De resten van de ontplofte stinkbommen zijn vannacht al opgeruimd door de Explosieven Opruimingsdienst.'

'Hingen er geen dampen onder de grond?' vroeg Heleen.

'Nee, het was niet gevaarlijk en voor de zekerheid droegen ze gasmaskers. Daar komt niks doorheen!' Boethen glimlachte. 'Maar nu kom ik jullie twee halen.'

'Ons?' vroegen Lot en Heleen.

'Blok heeft jullie iets beloofd,' zei Boethen.

'We gaan de barones verhoren,' zei Lot enthousiast.

Agent Boethen reed vast terug naar het landgoed. Lot en Heleen fietsten ernaartoe. In het krat van Lots fiets zat Tristan, zijn lange haren wapperend in de wind.

In de tuin van het landhuis liepen de Hinterhugelaren. De meesten waren daar voor het eerst.

'Petulia!' riepen Lot en Heleen blij en ze gingen naar haar toe.

'Lot! Heleen! Wat fijn om jullie te zien,' zei ze. 'Lieve help, meisjes, wat een avontuur hè? Wie had dat nou gedacht van de barones. Dat zo'n deftige dame zoiets doet. Ik snap het echt niet.'

'We hebben een cadeau voor je!' zei Heleen.

'Van Itto!' zei Lot.

'Van Itto? O, wat spannend! Wat dan?' vroeg Petulia.

Lot gaf haar Tristan.

'Wat een snoepje! Wat een liefje!' riep ze. Tristan nestelde zich meteen in haar armen. Hij leek gelukkig en duwde zijn neus tegen de hare.

Achter Petulia zagen Lot en Heleen dat meneer Amant en de bewakers naar de witte vrachtauto werden gebracht en erin werden opgesloten.

'Gaan jullie mee?' vroeg Boethen aan de meisjes. Lot en Heleen gingen met haar mee naar het familiegraf. Achter het hek liep de barones te ijsberen. Twee van de Speciaal Agenten stonden naast het hek. Hoofdcommissaris Blok stond ervoor te wachten op de meisjes.

'Goedemorgen, meisjes,' zei Blok zacht. 'Zijn jullie er klaar voor?' Ze knikten allebei en slikten een brok in hun keel weg. Het was toch spannender dan ze hadden gedacht.

'Barones, wilt u ons vertellen wat u van plan was?' vroeg Blok.

De barones bleef staan. 'Waar is Tristan? Ik zeg niks voordat ik mijn lieveling heb gezien,' zei ze.

'Als u alles opbiecht, beloof ik dat u Tristan te zien krijgt,' zei Blok.

De barones keek hem met half dichtgeknepen ogen wantrouwig aan.

'Waarom hebt u de stinkbommen laten ontploffen in Hinterhugel?'

Ze draaide haar rug naar hem toe. 'Ruim honderd jaar geleden is mijn familie vernederd door de Hinterhugelaren. Die vernedering moest ik rechtzetten! Ik wilde wraak!' siste de barones. 'Ik wilde ze verjagen en verbannen, zoals zij dat met mijn familie gedaan hebben. Treiteren en sarren, niet één keer, maar vaker. Net zo vaak totdat ze allemaal zouden vertrekken.

Het einde van de ondergrondse gang kwam uit onder het kerkhof. Als daar iets vreselijks gebeurde, dan zou-

den de Hinterhugelaren zich het apezuur schrikken, had ik bedacht.'

De barones stopte even. Ze moest stiekem lachen om het beeld van vluchtende, doodsbange Hinterhugelaren. 'Het gifgroene goedje uit mijn chemiefabriek stinkt ontzettend naar dood en verderf. Daar worden mensen bang van!'

'Maar u had ook plannen om hier een luxe hondenhotel te bouwen,' zei Blok een beetje geschokt.

'Ik vertrouw alleen honden. Zij zijn trouw en ik wilde ze iets teruggeven,' zei de barones. 'Toen ik elf jaar was, gaven mijn ouders me geen nieuwe puppy nadat mijn hondje Doesje dood was gegaan.' Ze zuchtte. 'Ik was erg verdrietig en boos!' De barones draaide zich naar Blok om. 'En als Hinterhugel stukje bij beetje leeg zou zijn gelopen, had ik alle huizen voor een prikkie gekocht. Dan was mijn Hemels Hondenparadijs nog groter geworden.' Ze strekte haar armen uit om de omvang van haar waanzinnige droom te laten zien.

'Hoe bent u aan Subterra gekomen?'

'Onder het kerkhof moesten snel smalle gangen gegraven worden,' zei de barones. 'Daarvoor zijn kinderen nu eenmaal het beste geschikt. En ze zijn gratis. Op het internet zocht ik naar gravers en zo vond ik die archeologieclub Subterra.' Ze zette haar handen op haar heupen. 'Ik wilde meneer Amant omkopen met geld. Maar de sukkel werd verliefd op mij, dus dat kostte me niks. Hij was zo mak als een lammetje.'

'Maar barones, klopt het dat u de Subterra's als kinderarbeiders in uw chemiefabriek wilde laten werken?' vroeg Blok ongelovig.

'Ja, natuurlijk!' zei ze zonder spijt. 'Kinderen moeten niet zeuren. Dat zeiden mijn ouders ook altijd tegen mij.'

De barones sloeg haar armen over elkaar. 'Nu wil ik Tristan zien!'

Hoofdcommissaris Blok knikte naar agent Boethen.

Boethen ging naar Petulia om de pekinees te halen. Maar Petulia liet haar nieuwe maatje niet zomaar gaan. Ze liep zelf met Tristan naar de barones toe.

'Liefje. Tristan, kom dan.' De barones probeerde met haar armen door de tralies de pekinees te aaien.

Maar Tristan wilde niet. Hij was bang geworden voor zijn oude bazin. De barones trok zich terug en ging met schokkende schouders snikkend achter in het familie-graf staan.

Met Blok en Boethen liepen Lot en Heleen terug naar het landhuis. De meisjes vonden het bijna zielig voor de barones.

De Benedeluxer

Het was hard gaan waaien en Hinterhugel was inmiddels schoon. Lot en Heleen fietsten met de wind in de rug naar Pension Kat. Daar stonden veel auto's op de weg en de kleine parkeerplaats.

'Wie zijn al die mensen?' vroeg Heleen.

'Dat zijn vast de ouders van de Subterra's,' zei Lot.

Heleens ouders brachten alle ouders naar de wei, waar de kinderen bij hun tenten speelden.

De meisjes zochten Itto en liepen de hal van Pension Kat binnen.

'Itto!' riep Lot.

'Hier! In de keuken,' riep Itto. Ze zagen dat hij praatte met een man die ze nog niet eerder hadden gezien.

'Dit is Maarten Ruban,' zei Itto. Maarten gaf de meisjes een hand.

'Ik ben een journalist van *De Benedeluxer*, de grootste krant van het land,' zei Maarten. 'En ik wil jullie avontuur horen. Dan maak ik er een groot artikel van voor de krant van morgen.'

'Echt waar?' riepen Lot en Heleen.

'Echt! Jullie avontuur is enorm spannend. Iedereen

zal jaloers zijn,' zei Maarten. 'Ik wed dat tv-omroep BTO jullie binnenkort ook wil interviewen.'

Maarten vroeg Lot en Heleen het hemd van het lijf. De meisjes vertelden hem alles wat ze wisten.

Hij had ook nog een camera bij zich en maakte foto's van de meisjes en Pension Kat.

Nadat Maarten was vertrokken naar het landgoed om met Boethen te praten, liep Itto met Lot en Heleen naar het parkeerplaatsje voor het pension.

Sanne en Frank liepen met hun ouders naar de auto's. Ze wezen allebei naar Lot en Heleen. Hun ouders keken nieuwsgierig naar de meisjes. Frank wenkte Lot en Heleen om naar hen toe te komen.

'Dit zijn onze heldinnen,' zei Frank tegen zijn ouders. 'Zij hebben de politie gewaarschuwd.'

'We willen jullie heel erg bedanken,' zei Franks vader. 'We wisten helemaal niet dat een boze barones onze kinderen gegijzeld had.'

'Ja, ontzettend bedankt,' zei de moeder van Sanne.

Lot en Heleen namen afscheid van de twee Subterra's, die beloofden snel een keer te komen logeren.

Een aantal ouders kwam naar hen toe en een blije vader stapte direct op Itto af.

'Beste man, wij zijn zo blij dat u onze kinderen hebt geholpen. We moeten er niet aan denken wat er gebeurd zou zijn als u er niet was geweest,' zei de man.

'Dank u,' zei Itto, 'maar daarvoor moet u eigenlijk bij Lot en Heleen zijn. Zij hebben de kinderen gered en de barones ontmaskerd.'

'Geweldig!' De man schudde hun de hand. 'Dank je! Dank je!' Hij draaide zich weer om naar Itto.

'We hebben de koppen bij elkaar gestoken en willen u een cadeau geven, omdat u onze kinderen zo voortreffelijk hebt opgevangen. Is er iets wat u graag zou willen hebben?'

'Nou, dat hoeft niet hoor,' zei Itto. 'Ik ben allang blij dat ze niets mankeren.'

Lot had een idee en stapte naar Itto toe. 'Een computer, Itto,' zei Lot. 'We hebben een computer nodig!'

'Wat een goed idee!' riep de man. 'Een computer, dat gaan we voor u regelen. Compleet met een printer en internetaansluiting.' Hij schudde Itto's hand. De man vertrok met de andere ouders. Ze stapten in hun auto's en zwaaiden naar Itto en de meisjes.

Opeens was het stil rondom Pension Kat.

Die avond ging de wind liggen en aten ze met zijn zevenen in de wei tussen de lampionnen. Itto en Petulia hadden gekookt. Boethen vertelde aan Heleens ouders hoe het reddingsplan in elkaar was gezet.

'Het was super om in die helikopter te vliegen. En samen met de Speciaal Agenten abseilen uit de helikopter was helemaal tof!' zei ze.

Dit was de laatste avond dat Heleen bij Lot was. Ze ging straks met haar ouders naar huis.

'Ga je echt een website voor Pension Kat maken?' vroeg Heleen.

'Ja, dan kunnen gasten van tevoren vast kijken hoe de kamers eruitzien,' zei Lot.

'Is dat niet moeilijk?'

'Nee, ik heb gelezen dat er doe-het-makkelijk-zelf-programma's zijn,' zei Lot.

'Hoe gaat het heten?' vroeg Heleen.

'www.pensionkat.com, natuurlijk.'

De volgende ochtend maakte Itto Lot wakker. 'Kom je ontbijten?' vroeg hij. 'Ik heb iets leuks!'

Midden op de tafel onder de boom lag *De Benedeluxer*. Het artikel over het avontuur stond groot op de voorpagina.

'Cool!' zei Lot.

Bovenaan stond in koeienletters: **HINTERHUGEL OP HOL!** Daaronder las ze in kleinere letters: BOZE BARONES NEEMT WRAAK. En in het artikel stond met vette letters: **Boek je avontuur in Pension Kat!**

De foto van Lot en Heleen stond erbij.

'We zijn beroemd!' riep Lot. 'En Pension Kat ook!'

'En er is nog een verrassing voor jou, Lot,' zei Itto. Hij gaf haar een kaart.

'Wat is dit?' vroeg ze. Ze draaide hem om en zag dat hij van haar ouders was. Lot was er dolblij mee en keek lachend naar Itto.

Die avond was er een groot feest in Hinterhugel. De rotonde bij De Lachende Big was omgetoverd tot een feestplein met veel vuurwerk. Het vertrek van de laatste Ce Triest de Temperdu werd gevierd. Net als honderd jaar geleden.

HINTERHÜGEL

De Lachende Big

politiebureau

kerk

LANDGOED

LE TRISTE TEMPERDU